DR. VOGEL

GIDS VOOR ALLE GENEESMIDDELEN

Vademecum voor thuis

Dr. Vogel
Gids
voor alle
geneesmiddelen

Vademecum voor thuis

Mix Media B.V.
Harderwijk

Omslagontwerp: Exploi B.V., Harderwijk
Pagina-opmaak: Exploi B.V.,Harderwijk
Illustratie omslag: Hans van Stormbroek
Druk: Koninklijke Wöhrmann, B.V, Zutphen. - augustus 1997
4e herziene druk

© 1996 Uitgeverij Mix Media B.V.
Alle rechten voorbehouden
Homeopathie
ISBN 90-75 690-02-9
NUGI 732

Deze uitgave is met de grootste zorgvuldigheid samengesteld. Noch de maker, noch de uitgever stelt zich echter aansprakelijk voor eventuele schade als gevolg van eventuele onjuistheden en/of onvolledigheden in deze uitgave.

Inhoud

Hoofdstuk 1

Gezondheid is iets anders dan een pilletje slikken

Alfred Vogel is zijn tijd ver vooruit geweest. Hij is de pionier die natuurlijke geneesmiddelen in brede kring populair maakte en die een beroep deed op het gezonde verstand van de mens om hem bewust te maken van zijn verantwoordelijkheid voor zijn eigen gezondheid. Hij herontdekte bij natuurvolkeren over de gehele wereld de eeuwenoude kennis van geneeskrachtige planten en vertaalde deze in een nieuwe visie op ziekte en gezondheid, gericht op het welbevinden van de mens. Deze visie staat bekend als de natuurlijke totaalgeneeswijze en bestaat uit maatregelen op het gebied van leefwijze, voeding, uitwendige therapieën en het gebruik van veilige en effectieve, natuurlijke geneesmiddelen.

Toen de Zwitser Alfred Vogel 20 jaar was, stond hij voor de keuze van zijn leven: medicijnen studeren of zich zelfstandig verder verdiepen in de natuur als bron van geneeskracht.

Alles pleitte voor het eerste. De wereld om hem heen was gefascineerd door het naïeve denkbeeld dat de techniek alle problemen van de mensheid zou oplossen. Agressieve chemische bestrijdingsmiddelen zouden een eind maken aan misoogsten. Synthetische geneesmiddelen, waarvan sommige zeer effectief, begonnen hun opmars; in enkele decennia werd het erfgoed aan plantaardige geneesmiddelen, dat in de loop van duizenden jaren van generatie op generatie was doorgegeven, echter bij het grof vuil gezet. Niemand voorzag de consequenties. Niemand besefte tot in welke mate deze nieuwe verworvenheden de kwaliteit van het leven zouden aantasten.

In het zicht van die aanstormende vloedgolf, toen 'milieuvervuiling' en 'bijwerkingen' nog onbekende begrippen waren, nam Alfred Vogel zijn standpunt in. Overtuigd van de onuitputtelijke geneeskracht in de natuur, koos hij voor een leven waarin hij al zijn mogelijkheden en talenten aanwendde om, vanuit een natuurlijke invalshoek, zijn zieke medemensen zo goed mogelijk te helpen.

Zijn levenswerk heeft erkenning gekregen en wordt door zijn internationale wetenschappelijke staf voortgezet. Hij ontving een eredoctoraat en tal van onderscheidingen. Zijn geneesmiddelen zijn inmiddels in meer dan 40 landen verkrijgbaar. In Nederland worden de meeste Vogel-geneesmiddelen door ziekenfonds of verzekering vergoed. Miljoenen mensen overal ter wereld, waaronder een groeiend aantal artsen en wetenschappers, delen inmiddels zijn voorkeur voor een natuurlijke manier van leven en voor veilige, natuurlijke therapieën en natuurlijke geneesmiddelen die praktisch vrij zijn van bijwerkingen.

Een kort overzicht van het leven van deze bijzondere man, die we nu allemaal kennen als Dr. Vogel, maakt duidelijk welke rol hij heeft gespeeld in het huidige denken over ziekte en gezondheid.

Een bescheiden begin

Om mensen in zijn omgeving te kunnen voorzien van verantwoorde gezondheidsadviezen, startte Alfred Vogel al vroeg in zijn leven een praktijk in Basel. Omdat de bestaande natuurlijke geneesmiddelen niet aan zijn kwaliteitseisen voldeden, begon hij al snel zelf extracten te maken uit verse geneeskrachtige planten. Uiteindelijk groeide zijn praktijk dermate dat hij het niet meer alleen aankon en artsen in dienst nam die zijn visie op de geneeskunde en zijn liefde en respect voor de natuur deelden.

Expedities

Om zijn therapeutische mogelijkheden uit te breiden, ondernam hij expedities naar de uiteinden der aarde. Hij leefde geruime tijd bij natuurvolkeren in Noord-, Midden- en Zuid-Amerika, Afrika en Azië en bestudeerde vol respect hun leef- en geneeswijzen. Zo leerde hij van Black Eagle, opperhoofd van de Sioux-indianen in South Dakota, het geheim van Echinacea purpurea. Hij maakte er zijn bekendste geneesmiddel van dat nu door miljoenen mensen over de gehele wereld wordt gebruikt. Echinaforce! De weerstandsverhogende

eigenschappen van deze geneeskrachtige plant zijn inmiddels
wetenschappelijk vastgesteld.

Begenadigd spreker en auteur
Van alles wat hij ontdekte en ondervond, hield hij nauwkeurig
bericht bij. En die aantekeningen vormen de basis van zijn
latere lezingen en publicaties.

Ruim zestig jaar lang hield hij lezingen om zijn ervaringen en
ontdekkingen van geneeskrachtige planten met anderen te
delen: bij kampvuren in de tropen, op een zeepkist in Hyde
Parc Corner, voor volgepakte zalen en voor radio en TV over
de gehele wereld.

In de rust en stilte van de vroege morgen. van 4 tot 6, zette
Alfred Vogel zijn ervaringen en denkbeelden over natuurlijk
leven en genezen op papier. Zo ontstonden *'De Kleine
Dokter'*, tal van andere boeken en een eindeloze reeks artike-
len voor het maandblad *'Gezondheidsnieuws'*. In 1996 rolt het
miljoenste exemplaar van de Nederlandse uitgave van zijn
standaardwerk *'De Kleine Dokter'* van de persen. Over de
gehele wereld zijn er meer dan 2 miljoen boeken van gedrukt
in 12 talen.

Natuurlijke totaalgeneeswijze
Alfred Vogel beschouwt een ziekte niet als een op zichzelf
staand feit of louter de aantasting van een orgaan of systeem
in het lichaam. Ziekte is volgens hem een aandoening waarbij
de gehele mens, inclusief lichaam en geest, is betrokken. Een
ziekte komt dan ook maar zelden zomaar uit de lucht vallen.
Meestal hebben verschillende factoren tot het ontstaan ervan
bijgedragen. Het probleem is daarom niet simpelweg met een
pilletje op te lossen. Alles wat tot genezing kan bijdragen
moet worden gemobiliseerd. Bij onschuldige aandoeningen
zal een patiënt vaak voor zelfmedicatie kiezen; bij ernstiger
kwalen kan dat soms ook, maar is het altijd verstandig eerst
een (natuurlijk werkende) arts de diagnose te laten stellen en
dan in overleg met hem de beste behandeling te kiezen. Deze
visie is bekend komen te staan als de natuurlijke totaalgeneeswijze.

Leefwijze
Verre van direct een geneesmiddel voor te schrijven, adviseert
Alfred Vogel mensen in eerste instantie altijd hun leefwijze te
analyseren. Een juiste geestelijke instelling, het vermijden van
een jachtig leven en het vervangen van negatieve emoties door
gevoelens van dankbaarheid en tevredenheid dragen tot een
goede gezondheid bij. Volgens sommigen is 70% van de
gezondheidsproblemen waarmee iemand naar de arts gaat van
psychosomatische aard. Misschien wel de helft ervan kan door
een aanpassing van levensstijl en -tempo worden opgelost.

Voeding
Als iemand zelf, door de keuze van de juiste voeding, de
bouwstenen voor een goede gezondheid aandraagt, zal het
lichaam met zijn fantastische processen van zelfgenezing zijn
werk kunnen doen om de gezondheid te behouden of te herstellen. Het vermijden van geraffineerde voeding en te veel
dierlijke eiwitten (vlees) en vetten zal een wezenlijke bijdrage
leveren tot een goede gezondheid; hetzelfde geldt voor het
beperken van het gebruik van alcohol en het vermijden van
het gebruik van tabak. Volkorenproducten, vers fruit en veel
groente (begin elke maaltijd met een rauwkostsalade!) beveelt
hij sterk aan. Wanneer de twee voorgaande stappen het
gezondheidsprobleem nog niet afdoende hebben opgelost, kan
een volgende mensvriendelijke stap worden gezet, namelijk
de toepassing van:

Uitwendige behandelmethoden
Enkele voorbeelden: behandelingen met koud of heet water,
'stomen', kompressen of omslagen, acupunctuur en fysiothe-
rapie. Pas na dit stadium, als alle voorgaande stappen niet het
gewenste resultaat hebben opgeleverd, adviseert Alfred Vogel
een geneesmiddel te gebruiken.

Geneesmiddelen
Daarbij gaat in eerste instantie de voorkeur uit naar een veilig,
natuurlijk geneesmiddel. Bij ziekten waarvoor geen passend
natuurlijk geneesmiddel beschikbaar is, zal voor een chemisch
medicijn, chirurgie of zelfs bestraling moeten worden gekozen.

Naar de arts

Wanneer bij zelfmedicatie herstel binnen een redelijke termijn (± 8 dagen) uitblijft, dient iemand, ook met ogenschijnlijk onschuldige aandoeningen, beslist naar een arts te gaan. In de visie van Alfred Vogel is geen sprake van het afwijzen van de reguliere geneeskunde. De reguliere en de natuurgeneeskunde kunnen elkaar juist aanvullen. Gelukkig zijn er steeds meer artsen, ook in Nederland, die de waarde van veilige, natuurlijke geneesmiddelen inzien. Daardoor kunnen bijwerkingen, waardoor veel chemische medicijnen nu eenmaal worden gekenmerkt, worden voorkomen.

Hoofdstuk 2

Wat u nog meer moet weten over natuurlijke geneesmiddelen.

Bij het gebruik van natuurlijke geneesmiddelen zijn enkele punten van belang:
Het innemen van natuurlijke geneesmiddelen doet men het beste een kwartier tot een half uur vóór de maaltijd mits dat anders op de verpakking is aangegeven. Verschillende geneesmiddelen kunt u ook beter niet tegelijk innemen, maar liever met tussenpozen van 5 - 10 minuten.
Natuurlijke geneesmiddelen kunnen gecombineerd worden met de meeste reguliere medicijnen. Sterk werkende synthetische medicijnen kunnen de werking van natuurlijke middelen onderdrukken of zelfs opheffen. Niet alleen medicijnen kunnen de werking beïnvloeden. Ook prikkelende stoffen zoals koffie, azijn en pepermunt (kauwgom) kunnen een negatief effect hebben.

Dosering voor kinderen
De dosering voor kinderen wijkt af van die voor volwassen.
De dosering is dan:

kinderen tot 6 jaar
eenderde van de dosis voor volwassenen
kinderen van 6 - 12 jaar
de helft van de dosering voor volwassenen
kinderen vanaf 12 jaar
de dosering voor volwassenen.

Kinderen die 'moeilijk innemen', kunnen het middel met wat rietsuiker of honing innemen.

Gebruik van geneesmiddelen tijdens de zwangerschap
Op iedere verpakking en bijsluiter staat, indien noodzakelijk, niet gebruiken tijdens zwangerschap'.
Vogel-geneesmiddelen die niet tijdens de zwangerschap gebruikt mogen worden zijn:

Kelpasan
Linoforce
Po-Ho-Olie (ook bij gebruik via inhalatie)
Smeerwortel tinctuur
Symphosan

Houdbaarheid van geneesmiddelen

Op de verpakking staat de houdbaarheidsdatum vermeld. De
geneesmiddelen kunnen het beste op een koele, donkere en
droge plaats rechtopstaand worden bewaard. Dus niet in de
badkamer!
Door de specifieke bereidingswijze van natuurlijke
geneesmiddelen kan er te zijner tijd wat bezinksel ontstaan.
Dit heeft geen enkele nadelige invloed op de werking. In dat
geval kunt u het flesje goed schudden.

Veel natuurlijke geneesmiddelen bevatten door destillatie van
het vergistingsproduct melasse verkregen alcohol. Alcohol is
een van de beste middelen om zoveel mogelijk werkzame
stoffen aan de verse planten te onttrekken, zodat een optimaal
werkzaam geneesmiddel ontstaat. Bovendien heeft alcohol
een conserverende en stabiliserende werking.

Bij normale dosering bestaat geen enkel gevaar voor overmatig alcoholgebruik. Bij inname van driemaal daags 20 druppels tinctuur met een alcoholpercentage van 50%, krijgt men
ongeveer 1,4 gram zuivere alcohol binnen. Bij vrouwen is een
normaal functionerende lever in staat 20-40 gram alcohol per
dag te verwerken. Bij mannen geldt een hoeveelheid van 60-
80 gram per dag.

Bij kinderen tot de leeftijd van zes jaar wordt eenderde van de
normale dosering aanbevolen. Bij inname van 3x daags 7
druppels tinctuur met een alcoholpercentage van 50%, krijgt
het kind ongeveer 0,5% alcohol binnen. Dat staat ongeveer
gelijk aan de hoeveelheid alcohol in een rijpe banaan, een
glaasje druiven- of appelsap.

Hoofdstuk 3

A. Vogel-geneesmiddelen

ACIDUM PHOSPHORICUM D4

Samenstelling:
Acidum phosphoricum D4 (fosforzuur).

Gebruiken bij:
Een homeopathisch geneesmiddel kan doorgaans voor zeer
uiteenlopende aandoeningen worden aanbevolen. Dit middel
wordt echter het meest toegepast bij:
- klachten door te snelle groei, zoals bijvoorbeeld rugpijn
- klachten door geestelijke of lichamelijke overbelasting
- depressiviteit
- haaruitval ten gevolge van stress
- hoofdpijn in kruin, achterhoofd en nek.

De hierna volgende opsomming van kenmerken waarbij dit
middel vooral werkzaam is, is beperkt. Genoemd zijn slechts
de volgende, veel voorkomende kenmerken:
- nervositeit
- lichamelijke zwakte
- onverschilligheid
- neiging tot diarree
- sterk transpireren
- futloos en sloom
- geluid en bewegen verergeren de klachten.

Niet gebruiken bij:
Er zijn geen omstandigheden bekend waarbij het gebruik van
dit middel moet worden ontraden.

Bijwerkingen:
Van dit middel zijn geen bijwerkingen bekend.

Combinatie met andere geneesmiddelen:
U kunt dit geneesmiddel in het algemeen zonder bezwaar
gelijktijdig met andere medicijnen gebruiken.

Gebruik tijdens zwangerschap of borstvoeding:
Dit geneesmiddel kan, voorzover bekend, zonder bezwaar
overeenkomstig de voorgeschreven dosering worden gebruikt.
Het verdient in het algemeen aanbeveling bij gebruik van
geneesmiddelen tijdens de zwangerschap en de periode waarin borstvoeding wordt gegeven, eerst uw arts te raadplegen.

Wijze van gebruik:
Tenzij anders is voorgeschreven, 3x daags 2 tabletten vóór de
maaltijd in de mond uiteen laten vallen.

Gebruiksduur:
Indien noodzakelijk kan het middel langdurig worden toegepast. Indien de klachten aanhouden is het verstandig een arts
te raadplegen.

ACIFORCE

Samenstelling:
Bacteriestammen:
Lactobacillus acidophilus
Lactococcus lactis
Enterococcus faecium
Bifidobacterium bifidum

Ulmus fulva
maïszetmeel
maltodextrine
cellulose
enzymen.

De inhoud van 1 sachet bevat ongeveer 3×10^9 actieve kiemen
per dagdosering.

Eigenschappen van de bestanddelen:
Bovenstaande bacteriën behoren tot de melkzuurvormende
bacteriën die in de darmen voorkomen.
Deze bacteriën en hun omzettingsproducten helpen een verstoorde darmflora te herstellen.

Gebruiken bij:
- klachten die verband houden met een verstoorde darmflora,
  zoals diarree en darmgassen,
- voorkoming van of ter genezing van darmklachten bij een
  antibioticakuur,
- bevordering van de voedselopname door het lichaam.

Niet gebruiken bij:
Er zijn geen omstandigheden bekend waarbij het gebruik van
dit middel moet worden ontraden.

Bijwerkingen:
Van dit middel zijn geen bijwerkingen bekend.

Combinatie met andere geneesmiddelen:
U kunt dit middel in het algemeen zonder bezwaar gelijktijdig
met andere medicijnen gebruiken.
In het geval van een antibioticumkuur enkele uren na of voor
inname van het antibioticum Aciforce innemen.

Gebruik tijdens zwangerschap of borstvoeding:
Dit geneesmiddel kan, voor zover bekend, zonder bezwaar
overeenkomstig de voorgeschreven dosering worden gebruikt.
Het verdient in het algemeen aanbeveling bij gebruik van
geneesmiddelen tijdens de zwangerschap en de periode waarin borstvoeding wordt gegeven, eerst uw arts te raadplegen.

Wijze van gebruik:
Eén sachet granulaat (=3 gram) per dag in water oplossen en
vóór de maaltijd of vóór het slapengaan innemen.

Gebruiksduur:
Indien noodzakelijk kan het middel langdurig worden toegepast. Indien de klachten aanhouden is het verstandig een arts
te raadplegen.

Bewaren:
Koel en droog.

ACONITUM D4

Samenstelling:
Aconitum napellus D4 (blauwe monnikskap).

Gebruiken bij:
Een homeopathisch geneesmiddel kan doorgaans voor zeer uiteenlopende aandoeningen worden aanbevolen. Dit middel wordt echter het meest toegepast bij:
- aangezichtspijn
- angst, paniek
- griep
- koorts
- acute verkoudheid
- acute middenoorontsteking
- zenuwpijn.

De hierna volgende opsomming van kenmerken waarbij dit middel vooral werkzaam is, is beperkt. Genoemd zijn slechts de volgende, veel voorkomende kenmerken:
- angst en grote onrust of opgewondenheid
- klachten die ontstaan door droge, koude wind
- hevige, ondraaglijke pijn
- bleke gelaatskleur, iets roder als men ligt
- droge, hete huid
- behoefte aan koud water
- geen transpiratie
- patiënt voelt zich beter door frisse lucht en bij rust
- klachten verergeren 's avonds en 's nachts.

In geval van koorts:
- plotseling opkomende hoge koorts zonder transpiratie.

In geval van acute verkoudheid:
- loopneus en veel niezen, vooral 's morgens.

Niet gebruiken bij:
Er zijn geen omstandigheden bekend waarbij het gebruik van
dit middel moet worden ontraden.

Bijwerkingen:
Van dit middel zijn geen bijwerkingen bekend.

Combinatie met andere geneesmiddelen:
U kunt dit geneesmiddel in het algemeen zonder bezwaar
gelijktijdig met andere medicijnen gebruiken.

Gebruik tijdens zwangerschap of borstvoeding:
Dit geneesmiddel kan, voorzover bekend, zonder bezwaar
overeenkomstig de voorgeschreven dosering worden gebruikt.
Het verdient in het algemeen aanbeveling bij gebruik van
geneesmiddelen tijdens de zwangerschap en de periode waarin borstvoeding wordt gegeven, eerst uw arts te raadplegen.

Wijze van gebruik:
Tenzij anders is voorgeschreven, 3x daags 5-10 druppels vóór
de maaltijd in wat water innemen. In acute gevallen elk uur 5
druppels, tot de klachten verminderen (max. 2 dagen).

Gebruiksduur:
Indien noodzakelijk kan het middel langdurig worden toegepast. Indien de klachten aanhouden is het verstandig een arts
te raadplegen.

ACONITUM D10

Samenstelling:
Aconitum D10 (blauwe monnikskap).

Gebruiken bij:
Een homeopathisch geneesmiddel kan doorgaans voor zeer
uiteenlopende aandoeningen worden aanbevolen. Dit middel
wordt echter het meest toegepast bij:
- klachten die plotseling en heftig optreden, zoals hyperventilatie
  en opvliegers

- angst, paniek
- doodsangst
- zenuwpijn.

De hierna volgende opsomming van kenmerken waarbij dit middel vooral werkzaam is, is beperkt. Genoemd zijn slechts de volgende, veel voorkomende kenmerken:
- angst en grote onrust of opgewondenheid
- behoefte aan koud water
- geen transpiratie
- klachten die ontstaan door droge, koude wind
- klachten verergeren 's avonds en 's nachts.

Niet gebruiken bij:
Er zijn geen omstandigheden bekend waarbij het gebruik van dit middel moet worden ontraden.

Bijwerkingen:
Van dit middel zijn geen bijwerkingen bekend.

Combinatie met andere geneesmiddelen:
U kunt dit geneesmiddel in het algemeen zonder bezwaar gelijktijdig met andere medicijnen gebruiken.

Gebruik tijdens zwangerschap of borstvoeding:
Dit geneesmiddel kan, voorzover bekend, zonder bezwaar overeenkomstig de voorgeschreven dosering worden gebruikt. Het verdient in het algemeen aanbeveling bij gebruik van geneesmiddelen tijdens de zwangerschap en de periode waar-in borstvoeding wordt gegeven, eerst uw arts te raadplegen.

Wijze van gebruik:
Gedurende maximaal één uur om de 10 minuten 5 druppels.

Gebruiksduur:
Indien noodzakelijk kan het middel langdurig worden toege-past. Indien de klachten aanhouden is het verstandig een arts te raadplegen.

AESCULAFORCE

Samenstelling:
Aesculus hippocastanum ø (flores, gemmae, semen) (paardekastanje).

Eigenschappen van de bestanddelen:
Aesculus hippocastanum ø verbetert de doorbloeding,
versterkt de vaatwand en kan vooral bij lokale bloedsomloopstoornissen worden toegepast. Dit middel voorkomt nachtelijke spierkrampen en werkt ontsteking- en oedeemremmend.

Gebruiken bij:
-aambeien zonder bloedverlies
-aderontsteking
-bloedsomloopstoornissen
-krampen
-open been
-spataderen
-waterzucht (oedeem).

Niet gebruiken bij:
Er zijn geen omstandigheden bekend waarbij het gebruik van
dit middel moet worden ontraden.

Bijwerkingen:
Van dit middel zijn geen bijwerkingen bekend.

Combinatie met andere geneesmiddelen:
U kunt dit geneesmiddel in het algemeen zonder bezwaar
gelijktijdig met andere medicijnen gebruiken.

Gebruik tijdens zwangerschap of borstvoeding:
Dit geneesmiddel kan, voorzover bekend, zonder bezwaar
overeenkomstig de voorgeschreven dosering worden gebruikt.
Het verdient in het algemeen aanbeveling bij gebruik van
geneesmiddelen tijdens de zwangerschap en de periode waarin borstvoeding wordt gegeven, eerst uw arts te raadplegen.

Wijze van gebruik:
Tenzij anders is voorgeschreven, 3x daags 10 druppels vóór de
maaltijd in wat water innemen.
Voor gebruik schudden.

Gebruiksduur:
Indien noodzakelijk kan het middel langdurig worden toegepast. Indien de klachten aanhouden is het verstandig een arts
te raadplegen.

Bewaren:
In dit middel kan enig bezinksel ontstaan. Dit heeft geen nadelige invloed op de geneeskrachtige werking.

AESCULAFORCE tabletten

Samenstelling:
1 tablet bevat de werkzame bestanddelen van 30 druppels
Aesculaforce. Bevat 20 mg aescine per tablet.
Aesculus hippocastanum ø [semen] (paardekastanje).

Eigenschappen van de bestanddelen:
Aesculus hippocastanum semen ø versterkt de aderwand en
kan vooral bij lokale bloedsomloopstoornissen worden toegepast. Dit middel voorkomt nachtelijke spierkrampen en werkt
ontsteking- en oedeemremmend.

Gebruiken bij:
- spataderen
- aambeien zonder bloedverlies
- aderontsteking
- bloedsomloopstoornissen
- krampen
- open been
- waterzucht (oedeem).

Niet gebruiken bij:
Er zijn geen omstandigheden bekend waarbij het gebruik van
dit middel moet worden ontraden.

Bijwerkingen:
Van dit middel zijn geen bijwerkingen bekend.
In zeldzame gevallen kunnen spijsverteringsstoornissen optreden.

Combinatie met andere geneesmiddelen:
U kunt dit geneesmiddel in het algemeen zonder bezwaar gelijktijdig met andere medicijnen gebruiken.

Gebruik tijdens zwangerschap of borstvoeding:
Dit geneesmiddel kan, voorzover bekend, zonder bezwaar overeenkomstig de voorgeschreven dosering worden gebruikt. Het verdient in het algemeen aanbeveling bij gebruik van geneesmiddelen tijdens de zwangerschap en de periode waarin borstvoeding wordt gegeven, eerst uw arts te raadplegen.

Wijze van gebruik:
Tenzij anders is voorgeschreven, 3x daags 1 tablet tijdens de maaltijd met wat water innemen.

Gebruiksduur:
Indien noodzakelijk kan het middel langdurig worden toegepast. Indien de klachten aanhouden is het verstandig een arts te raadplegen.

ALCHEMILLA COMPLEX

Samenstelling:
Acidum silicicum D8 - 5% (kiezelzuur)
Acorus calamus ø = D1 - 14% (kalmoes)
Alchemilla vulgaris ø = D1 - 15% (vrouwenmantel)
Calcium carbonicum Hahnemanni D8 - 5% (calciumcarbonaat)
Calcium phosphoricum D8 - 5% (calciumfosfaat)
Equisetum arvense ø = D1 - 15% (heermoes)
Ilex aquifolium ø = D1 - 10% (hulst)
Symphytum officinale D6 - 10% (smeerwortel)
Tuberculinum Koch D100 - 1%.

Eigenschappen van de bestanddelen:
Acidum silicicum D8 helpt o.a. bij gevoeligheid voor ontstekingen.

Acorus calamus ø = D1 bevordert de afscheiding van maag-
en darmsappen en heeft een 'ontslakkende' werking.
Alchemilla vulgaris ø = D1 werkt o.a. urinedrijvend en bloedzuiverend.
Calcium carbonicum Hahnemanni D8 en Calcium phosphoricum D8 helpen o.a. bij de opbouw van beenderen.
Equisetum arvense ø = D1 werkt urinedrijvend.
Ilex aquifolium ø = D1 werkt urinedrijvend en wordt van
oudsher bij gewrichtsklachten toegepast.
Symphytum officinale D6 helpt bij de vorming van beenvlies
en botweefsel na beschadiging.
Tuberculinum Koch D100 helpt o.a. bij chronische gewrichts-
aandoeningen.

Gebruiken bij:
- gewrichtspijn door gewrichtsslijtage

Niet gebruiken bij:
Tuberculose of tuberculose in de ziektegeschiedenis.

Bijwerkingen:
Van dit middel zijn geen bijwerkingen bekend.

Combinatie met andere geneesmiddelen:
U kunt dit geneesmiddel in het algemeen zonder bezwaar
gelijktijdig met andere medicijnen gebruiken.

Gebruik tijdens zwangerschap of borstvoeding:
Dit geneesmiddel kan, voorzover bekend, zonder bezwaar
overeenkomstig de voorgeschreven dosering worden gebruikt.
Het verdient in het algemeen aanbeveling bij gebruik van
geneesmiddelen tijdens de zwangerschap en de periode waarin borstvoeding wordt gegeven, eerst uw arts te raadplegen.

Wijze van gebruik:
Tenzij anders is voorgeschreven, 3x daags 30-40 druppels
vóór de maaltijd in wat water innemen.

Gebruiksduur:
Indien noodzakelijk kan het middel langdurig worden toege-

past. Indien de klachten aanhouden is het verstandig een arts te raadplegen.

Bewaren:
In dit middel kan enig bezinksel ontstaan. Dit heeft geen nadelige invloed op de geneeskrachtige werking.

ALLISAN knoflookdragees

Samenstelling:
1 dragee bevat 130 mg knoflookextract en 25 mg knoflookpoeder.

Eigenschappen:
Knoflook heeft een gunstig effect op hart en bloedvaten. Het middel verlaagt het cholesterolgehalte en de bloeddruk. Het verbetert de viscositeit (dikvloeibaarheid) van het bloed en werkt antisclerotisch (gaat verharding tegen).

Gebruiken bij:
- arteriosclerose
- te hoog cholesterolgehalte
- hoge bloeddruk

Niet gebruiken bij:
Er zijn geen omstandigheden bekend waarbij het gebruik van dit middel moet worden ontraden.

Bijwerkingen:
In een enkel geval kan enige geuroverlast optreden.

Combinatie met andere geneesmiddelen:
U kunt dit geneesmiddel in het algemeen zonder bezwaar gelijktijdig met andere medicijnen gebruiken.

Gebruik tijdens zwangerschap of borstvoeding:
Dit geneesmiddel kan, voorzover bekend, zonder bezwaar overeenkomstig de voorgeschreven dosering worden gebruikt. Het verdient in het algemeen aanbeveling bij gebruik van

geneesmiddelen tijdens de zwangerschap en de periode waarin borstvoeding wordt gegeven, eerst uw arts te raadplegen.

Wijze van gebruik:
Tenzij anders is voorgeschreven 's morgens en 's avonds 1 dragee vóór de maaltijd met wat water innemen.

Gebruiksduur:
Indien noodzakelijk kan het middel langdurig worden toegepast. Indien de klachten aanhouden is het verstandig een arts te raadplegen.

ANGELICA tinctuur

Samenstelling:
Angelica archangelica ø = D1 (grote engelwortel).

Eigenschappen van de bestanddelen:
Angelica archangelica ø = D1 bevordert de eetlust, werkt pijnstillend (bij spijsverteringsstoornissen) en gaat de vorming van darmgassen tegen. De spijsvertering wordt verbeterd.

Gebruiken bij:
- eetlustgebrek
- gasvorming in de maag en darmen.

Niet gebruiken bij:
Er zijn geen omstandigheden bekend waarbij het gebruik van dit middel moet worden ontraden.

Bijwerkingen:
Van dit middel zijn geen bijwerkingen bekend.

Combinatie met andere geneesmiddelen:
U kunt dit geneesmiddel in het algemeen zonder bezwaar gelijktijdig met andere medicijnen gebruiken.

Gebruik tijdens zwangerschap of borstvoeding:
Dit geneesmiddel kan, voorzover bekend, zonder bezwaar

overeenkomstig de voorgeschreven dosering worden gebruikt. Het verdient in het algemeen aanbeveling bij gebruik van geneesmiddelen tijdens de zwangerschap en de periode waarin borstvoeding wordt gegeven, eerst uw arts te raadplegen·

Wijze van gebruik:
Tenzij anders is voorgeschreven, 3x daags 5-10 druppels een kwartier vóór de maaltijd in wat water innemen. Bij gasvorming het middel juist ná de maaltijd innemen.

Gebruiksduur:
Indien noodzakelijk kan het middel langdurig worden toegepast. Indien de klachten aanhouden is het verstandig een arts te raadplegen.

Bewaren:
In dit middel kan enig bezinksel ontstaan. Dit heeft geen nadelige invloed op de geneeskrachtige werking.

APIS D4

Samenstelling:
Apis mellifica D4 (honingbij).

Gebruiken bij:
Een homeopathisch geneesmiddel kan doorgaans voor zeer uiteenlopende aandoeningen worden aanbevolen. Dit middel wordt echter het meest toegepast bij:
- acute keelontsteking
- acute huidontsteking met roodheid en zwelling
- griep
- insectensteken, stekende of brandende pijn
- koorts
- kwallenbeten
- middenoorontsteking
- bepaalde vormen van stekende of brandende pijn.

De hierna volgende opsomming van kenmerken waarbij dit middel vooral werkzaam is, is beperkt. Genoemd zijn slechts de volgende, veel voorkomende kenmerken:
- afwisselend slaperig en opgewonden
- geen dorst, ook niet bij koorts
- patiënt voelt zich slechter door warmte en aanraking
- patiënt voelt zich beter door koud water, koude kompressen en
- het afgooien van de dekens.

In geval van keelontsteking:
- opgezette amandelen
- opvallend opgezette en rode huig
- stekende, brandende keelpijn.

In geval van koorts:
- plotseling opkomende koorts met af en toe transpiratie
- verminderd urineren
- rode gelaatskleur.

In geval van een middenoorontsteking:
- het ontstoken oor is vuurrood en gezwollen.

Niet gebruiken bij:
Er zijn geen omstandigheden bekend waarbij het gebruik van dit middel moet worden ontraden.

Bijwerkingen:
Van dit middel zijn geen bijwerkingen bekend.

Combinatie met andere geneesmiddelen:
U kunt dit geneesmiddel in het algemeen zonder bezwaar gelijktijdig met andere medicijnen gebruiken.

Gebruik tijdens zwangerschap of borstvoeding:
Dit geneesmiddel kan, voorzover bekend, zonder bezwaar overeenkomstig de voorgeschreven dosering worden gebruikt. Het verdient in het algemeen aanbeveling bij gebruik van geneesmiddelen tijdens de zwangerschap en de periode waar-in borstvoeding wordt gegeven, eerst uw arts te raadplegen

Wijze van gebruik:
Tenzij anders is voorgeschreven, 3x daags 5-10 druppels vóór
de maaltijd in wat water innemen. Even in de mond houden en
dan doorslikken. In acute gevallen elk uur 5 druppels, tot de
klachten verminderen.

Gebruiksduur:
Indien noodzakelijk kan het middel langdurig worden toegepast. Indien de klachten aanhouden is het verstandig een arts
te raadplegen.

AQUA HAMAMELIDIS C.M.N.

Samenstelling:
Aqua hamamelidis C.M.N.

Eigenschappen van de bestanddelen:
Aqua hamamelidis C.M.N. heeft een samentrekkende
werking, in het bijzonder op de aderen.

Gebruiken bij:
- spataderen
- aambeien.

Niet gebruiken bij:
Er zijn geen omstandigheden bekend waarbij het gebruik van
dit middel moet worden ontraden.

Bijwerkingen:
Van dit middel zijn geen bijwerkingen bekend.

Combinatie met andere geneesmiddelen:
U kunt dit middel in het algemeen zonder bezwaar gelijktijdig
met andere medicijnen gebruiken.

Gebruik tijdens zwangerschap of borstvoeding:
Dit geneesmiddel kan, voor zover bekend, zonder bezwaar
overeenkomstig de voorgeschreven dosering worden gebruikt.

Het verdient in het algemeen aanbeveling bij gebruik van geneesmiddelen tijdens de zwangerschap en de periode waarin borstvoeding wordt gegeven, eerst uw arts te raadplegen.

Wijze van gebruik:
Inwendig:
Tenzij anders is voorgeschreven 's morgens en 's avonds 10 druppels in wat water innemen.

Uitwendig:
1 deel verdund met 4 delen afgekoeld, gekookt water op een kompres toepassen.

Gebruiksduur:
Indien noodzakelijk kan het middel langdurig worden toegepast. Indien de klachten aanhouden is het verstandig een arts te raadplegen.

Bewaren:
In dit middel kan enig bezinksel ontstaan. Dit heeft geen nadelige invloed op de geneeskrachtige werking.

ARNICA tinctuur

Samenstelling:
Arnica montana ø = D1 (valkruid).

Eigenschappen van de bestanddelen:
Arnica ø = D1 verbetert de doorbloeding van de hartspier.

Gebruiken bij:
- slechte doorbloeding van het hart.

Niet gebruiken bij:
Er zijn geen omstandigheden bekend waarbij het gebruik van dit middel moet worden ontraden.

Bijwerkingen:
Van dit middel zijn geen bijwerkingen bekend.

Combinatie met andere geneesmiddelen:
U kunt dit geneesmiddel in het algemeen zonder bezwaar
gelijktijdig met andere medicijnen gebruiken.

Gebruik tijdens zwangerschap of borstvoeding:
Dit geneesmiddel kan, voorzover bekend, zonder bezwaar
overeenkomstig de voorgeschreven dosering worden gebruikt.
Het verdient in het algemeen aanbeveling bij gebruik van
geneesmiddelen tijdens de zwangerschap en de periode waar-
in borstvoeding wordt gegeven, eerst uw arts te raadplegen.
Wijze van gebruik:
Tenzij anders is voorgeschreven, 3x daags 5-10 druppels vóór
de maaltijd in wat water innemen.
Voor gebruik schudden.

Gebruiksduur:
Indien noodzakelijk kan het middel langdurig worden toegepast. Indien de klachten aanhouden is het verstandig een arts
te raadplegen.

Bewaren:
In dit middel kan enig bezinksel ontstaan. Dit heeft geen nadelige invloed op de geneeskrachtige werking.

ARNICA D6

Samenstelling:
Arnica montana D6 (valkruid).

Gebruiken bij:
Een homeopathisch geneesmiddel kan doorgaans voor zeer
uiteenlopende aandoeningen worden aanbevolen. Dit middel
wordt echter het meest toegepast bij:
- beenbreuk
- flauwvallen
- hersenschudding

- herstel na een bevalling
- kneuzingen
- pijn en blauwe plekken als gevolg van verrekken, kneuzen of stoten
- pijn met een geradbraakt gevoel
- tenniselleboog
- wondpijn ten gevolge van een operatie of een kies- of tandextractie.

Het middel helpt vooral wanneer u direct na het ontstaan van de klachten met innemen begint. Arnica is het homeopathische middel bij uitstek bij alle beschadigingen van botten, spieren en gewrichten.
De hierna volgende opsomming van kenmerken waarbij dit middel vooral werkzaam is, is beperkt. Genoemd zijn slechts de volgende, veel voorkomende kenmerken:

In geval van hersenschudding:
- als de patiënt hoofdpijn heeft en de behoefte te gaan liggen.
- pijn wordt erger door aanraking.

In geval van herstel na een bevalling:
- als er sprake is van totale uitputting.

In geval van flauwvallen:
- als de persoon in het verleden een hersenschudding heeft
- gehad en nu regelmatig last heeft van flauwvallen.

Niet gebruiken bij:
Er zijn geen omstandigheden bekend waarbij het gebruik van dit middel moet worden ontraden.

Bijwerkingen:
Van dit middel zijn geen bijwerkingen bekend.

Combinatie met andere geneesmiddelen:
U kunt dit geneesmiddel in het algemeen zonder bezwaar gelijktijdig met andere medicijnen gebruiken.

Gebruik tijdens zwangerschap of borstvoeding:
Dit geneesmiddel kan, voorzover bekend, zonder bezwaar
overeenkomstig de voorgeschreven dosering worden gebruikt.
Het verdient in het algemeen aanbeveling bij gebruik van
geneesmiddelen tijdens de zwangerschap en de periode waarin borstvoeding wordt gegeven, eerst uw arts te raadplegen.

Wijze van gebruik:
Tenzij anders is voorgeschreven, 3x daags 5-10 druppels vóór
de maaltijd in wat water innemen. Even in de mond houden en
dan doorslikken.

Gebruiksduur:
Indien noodzakelijk kan het middel langdurig worden toegepast. Indien de klachten aanhouden is het verstandig een arts
te raadplegen.

ARNICA COMPLEX

Samenstelling:
Arnica montana ø = D1 - 33% (valkruid)
Crataegus ø - 67% [flores, fructus] (meidoorn).

Eigenschappen van de bestanddelen:
Arnica montana ø = D1 verbetert de doorbloeding van de hartspier.
Crataegus ø verbetert de doorbloeding van het hart door verwijding van de kransslagaderen.

Gebruiken bij:
- slagadervernauwing en -verdikking.

Niet gebruiken bij:
Er zijn geen omstandigheden bekend waarbij het gebruik van
dit middel moet worden ontraden.

Bijwerkingen:
Van dit middel zijn geen bijwerkingen bekend.

Combinatie met andere geneesmiddelen:
U kunt dit geneesmiddel in het algemeen zonder bezwaar
gelijktijdig met andere medicijnen gebruiken.

Gebruik tijdens zwangerschap of borstvoeding:
Dit geneesmiddel kan, voorzover bekend, zonder bezwaar
overeenkomstig de voorgeschreven dosering worden gebruikt.
Het verdient in het algemeen aanbeveling bij gebruik van
geneesmiddelen tijdens de zwangerschap en de periode waarin borstvoeding wordt gegeven, eerst uw arts te raadplegen.

Wijze van gebruik:
Tenzij anders is voorgeschreven, 3x daags 10-20 druppels
vóór de maaltijd in wat water innemen.

Gebruiksduur:
Indien noodzakelijk kan het middel langdurig worden toegepast. Indien de klachten aanhouden is het verstandig een arts
te raadplegen.

Bewaren:
In dit middel kan enig bezinksel ontstaan. Dit heeft geen nadelige invloed op de geneeskrachtige werking.

ARNICA FLORES tinctuur, uitwendig

Samenstelling:
Arnica montana ø (valkruid).

Eigenschappen van de bestanddelen:
Arnica montana ø vermindert de zwelling (bloeduitstorting)
ten gevolge van stoten, kneuzing of verrekking; verbetert de
doorbloeding ter plaatse; werkt pijnstillend.

Gebruiken bij:
- aderontsteking
- bloeduitstorting
- verstuiking
- kneuzing
- verrekking

- borstklierontsteking
- tandvleesontsteking
- bof.

Niet gebruiken bij:
Beschadigde huid en overgevoeligheid voor Arnica.

Bijwerkingen:
Van dit middel zijn geen bijwerkingen bekend.

Combinatie met andere geneesmiddelen:
U kunt dit geneesmiddel in het algemeen zonder bezwaar
gelijktijdig met andere medicijnen gebruiken.

Gebruik tijdens zwangerschap of borstvoeding:
Dit geneesmiddel kan, voorzover bekend, zonder bezwaar
overeenkomstig de voorgeschreven dosering worden gebruikt.
Het verdient in het algemeen aanbeveling bij gebruik van
geneesmiddelen tijdens de zwangerschap en de periode waarin borstvoeding wordt gegeven, eerst uw arts te raadplegen.

Wijze van gebruik:
Tenzij anders is voorgeschreven, direct toepassen door er de
pijnlijke plaats zachtjes mee in te wrijven; steeds na enkele
minuten herhalen, tot de pijn en de zwelling verminderen.
In geval van borstklierontsteking op een warm kompres op de
pijnlijke plaats aanbrengen. In geval van tandvleesontsteking
spoelen met Arnica flores tinctuur (10 druppels Arnica flores
tinctuur in een glas warm water) daarna uitspugen. In geval
van bof in de vorm van omslagen.

Waarschuwing
Niet innemen, uitsluitend uitwendig toepassen!

Gebruiksduur:
Indien noodzakelijk kan het middel langdurig worden toegepast. Indien de klachten aanhouden is het verstandig een arts
te raadplegen.

Bewaren:
In dit middel kan enig bezinksel ontstaan. Dit heeft geen nadelige invloed op de geneeskrachtige werking.

ARSENICUM ALBUM D4

Samenstelling:
Acidum arsenicosum D4 (arseentrioxide).

Gebruiken bij:
Een homeopathisch geneesmiddel kan doorgaans voor zeer uiteenlopende aandoeningen worden aanbevolen. Dit middel wordt echter het meest toegepast bij:
- overspannenheid
- zenuwontsteking
- slapeloosheid
- acute verkoudheid
- asthma bronchiale
- huiduitslag.

De hierna volgende opsomming van kenmerken waarbij dit middel vooral werkzaam is, is beperkt. Genoemd zijn slechts de volgende, veel voorkomende kenmerken:

In geval van overspannenheid:
- rusteloosheid, voortdurend in beweging
- diarree
- vermagering
- angstig
- klachten verergeren 's nachts
- patiënt heeft behoefte aan kleine slokjes koud water.

In geval van zenuwontsteking:
- behoefte aan kleine slokjes water
- rusteloosheid, voortdurend in beweging
- diarree
- vermagering.

In geval van slapeloosheid:
- wil steeds slokjes water hebben
- rusteloosheid, voortdurend in beweging
- klachten verergeren 's nachts.

In geval van acute verkoudheid:
- waterige, etsende, over het algemeen kwalijk riekende afscheiding
- branderig gevoel in de bovenste luchtwegen
- verstopte neus
- rusteloosheid, voortdurend in beweging
- klachten verergeren 's nachts
- patiënt heeft behoefte aan kleine slokjes koud water.

In geval van asthma bronchiale:
- patiënt heeft behoefte aan kleine slokjes koud water
- rusteloosheid en angst
- branderig gevoel in de borststreek (wordt minder door warmte)
- ernstige verzwakking
- klachten verergeren 's nachts.

In geval van huiduitslag:
- een brandend gevoel dat vooral na middernacht in bed
- optreedt en dan een drang tot krabben met zich meebrengt.

Niet gebruiken bij:
Er zijn geen omstandigheden bekend waarbij het gebruik van dit middel moet worden ontraden.

Bijwerkingen:
Van dit middel zijn geen bijwerkingen bekend.

Combinatie met andere geneesmiddelen:
U kunt dit geneesmiddel in het algemeen zonder bezwaar gelijktijdig met andere medicijnen gebruiken.

Gebruik tijdens zwangerschap of borstvoeding:
Dit geneesmiddel kan, voorzover bekend, zonder bezwaar overeenkomstig de voorgeschreven dosering worden gebruikt.

Het verdient in het algemeen aanbeveling bij gebruik van geneesmiddelen tijdens de zwangerschap en de periode waarin borstvoeding wordt gegeven, eerst uw arts te raadplegen.

Wijze van gebruik:
Tenzij anders is voorgeschreven, 3x daags 5-10 druppels vóór de maaltijd in wat water innemen.

Gebruiksduur:
Indien noodzakelijk kan het middel langdurig worden toegepast. Indien de klachten aanhouden is het verstandig een arts te raadplegen.

ATROSAN

Samenstelling:
1 tablet bevat de werkzame bestanddelen van 20 druppels Harpagophytum procumbens ø = D1 (duivelsklauw).

Eigenschappen van de bestanddelen:
Harpagophytum procumbens ø = D1 werkt pijnstillend en ontstekingremmend en wordt onder andere toegepast bij slijtage van de gewrichten.

Gebruiken bij:
- gewrichtsklachten met stijfheid en pijn.

Niet gebruiken bij:
Er zijn geen omstandigheden bekend waarbij het gebruik van dit middel moet worden ontraden.

Bijwerkingen:
Van dit middel zijn geen bijwerkingen bekend.

Combinatie met andere geneesmiddelen:
U kunt dit geneesmiddel in het algemeen zonder bezwaar gelijktijdig met andere medicijnen gebruiken.

Gebruik tijdens zwangerschap of borstvoeding:
Dit geneesmiddel kan, voorzover bekend, zonder bezwaar overeenkomstig de voorgeschreven dosering worden gebruikt. Het verdient in het algemeen aanbeveling bij gebruik van geneesmiddelen tijdens de zwangerschap en de periode waarin borstvoeding wordt gegeven, eerst uw arts te raadplegen.

Wijze van gebruik:
Tenzij anders is voorgeschreven, 3x daags 3-4 tabletten vóór de maaltijd met wat water innemen.

Gebruiksduur:
Indien noodzakelijk kan het middel langdurig worden toegepast. Indien de klachten aanhouden is het verstandig een arts te raadplegen.

AVENA SATIVA COMPLEX

Samenstelling:
Avena sativa ø - 97,9% (haver)
Panax ginseng D3 - 2,0% (ginseng)
Strychnos ignatii D3 - 0,1% (ignatiastruik).

Eigenschappen van de bestanddelen:
Avena sativa ø versterkt het zenuwstelsel, kalmeert en ontspant; verlengt de slaaptijd.
Panax ginseng D3 helpt o.a. bij overwerktheid (nerveuze uitputting).
Strychnos ignatii D3 helpt o.a. gemoedsstemmingen positief te beïnvloeden.

Gebruiken bij:
- angst
- nervositeit
- zwakke zenuwen
- slapeloosheid (vroeg wakker worden)
- tremor bij ouderen (trillen en beven)
- bedplassen
- ontwenning van tabaks- en druggebruik.

Niet gebruiken bij:
Er zijn geen omstandigheden bekend waarbij het gebruik van
dit middel moet worden ontraden.

Bijwerkingen:
Van dit middel zijn bij de aangegeven dosering geen bijwerkingen bekend.

Combinatie met andere geneesmiddelen:
U kunt dit geneesmiddel in het algemeen zonder bezwaar
gelijktijdig met andere medicijnen gebruiken.

Gebruik tijdens zwangerschap of borstvoeding:
Dit geneesmiddel kan, voorzover bekend, zonder bezwaar
overeenkomstig de voorgeschreven dosering worden gebruikt.
Het verdient in het algemeen aanbeveling bij gebruik van
geneesmiddelen tijdens de zwangerschap en de periode waarin borstvoeding wordt gegeven, eerst uw arts te raadplegen.

Wijze van gebruik:
Tenzij anders is voorgeschreven, 3x daags 15 druppels vóór de
maaltijd in wat water innemen (bij slapeloosheid: voor het
naar bed gaan nogmaals 15 druppels).

Gebruiksduur:
Indien noodzakelijk kan het middel langdurig worden toegepast. Indien de klachten aanhouden is het verstandig een arts
te raadplegen.

Bewaren:
In dit middel kan enig bezinksel ontstaan. Dit heeft geen nadelige invloed op de geneeskrachtige werking.

BARIUM CARBONICUM D6

Samenstelling:
Barium carbonicum D6 (bariumcarbonaat).

Gebruiken bij:
Een homeopathisch geneesmiddel kan doorgaans voor zeer

uiteenlopende aandoeningen worden aanbevolen. Dit middel wordt echter het meest toegepast bij:
- chronisch vergrote amandelen
- kinderen met een geestelijke of fysieke achterstand
- ouderen die vergeetachtig en wat wantrouwend zijn
- geheugenverlies, gepaard gaande met doffe hoofdpijn.

De hierna volgende opsomming van kenmerken waarbij dit middel vooral werkzaam is, is beperkt. Genoemd zijn slechts de volgende, veel voorkomende kenmerken:

In geval van kinderen:
- traagheid van begrip en fysieke ontwikkeling
- vergrote lymfeklieren in de nek en soms in de oksels
- snel vatbaar voor infecties
- onzeker en erg kouwelijk
- bang voor vreemden.

In geval van ouderen:
- geheugenverlies, soms zo erg dat de patiënt de weg in zijn naaste omgeving niet meer weet en verdwaalt.

Niet gebruiken bij:
Er zijn geen omstandigheden bekend waarbij het gebruik van dit middel moet worden ontraden.

Bijwerkingen:
Van dit middel zijn geen bijwerkingen bekend.

Combinatie met andere geneesmiddelen:
U kunt dit geneesmiddel in het algemeen zonder bezwaar gelijktijdig met andere medicijnen gebruiken.

Gebruik tijdens zwangerschap of borstvoeding:
Dit geneesmiddel kan, voorzover bekend, zonder bezwaar overeenkomstig de voorgeschreven dosering worden gebruikt. Het verdient in het algemeen aanbeveling bij gebruik van geneesmiddelen tijdens de zwangerschap en de periode waarin borstvoeding wordt gegeven, eerst uw arts te raadplegen.

Wijze van gebruik:
Tenzij anders is voorgeschreven, 3x daags 2 tabletten vóór de
maaltijd in de mond uiteen laten vallen.

Gebruiksduur:
Indien noodzakelijk kan het middel langdurig worden toegepast. Indien de klachten aanhouden is het verstandig een arts
te raadplegen.

BELLADONNA D4

Samenstelling:
Atropa belladonna D4 (wolfskers).

Gebruiken bij:
Een homeopathisch geneesmiddel kan doorgaans voor zeer
uiteenlopende aandoeningen worden aanbevolen. Dit middel
wordt echter het meest toegepast bij:
- borstklierontsteking
- buikpijn
- darmkrampen
- galsteenkoliek
- hoofdpijn
- migraine
- maag- en darmkrampen
- griep
- koorts
- abces
- middenoorontsteking.

De hierna volgende opsomming van kenmerken waarbij dit
middel vooral werkzaam is, is beperkt. Genoemd zijn
slechts de volgende, veel voorkomende kenmerken:
- plotselinge ziekteverschijnselen
- lusteloos
- transpiratie
- dorst (droge keel en slijmvliezen)
- patiënt voelt zich beter door rust en warmte
- patiënt voelt zich slechter door tocht, aanraking en koude,
  en heeft last van geluid.

In geval van griep en koorts:
- rode gelaatskleur, iets bleker als men ligt
- koorts gaat gepaard met slapeloosheid en hoofdpijn
- kloppende pijn.

In geval van borstklierontsteking:
- borst is rood en warm
- hoge koorts
- kloppende pijn.

In geval van een abces:
- snel opkomende zwelling (rood en warm)
- kloppende pijn.

In geval van hoofdpijn en migraine:
- kloppende, rechtszijdige hoofdpijn die erger wordt door
  platliggen, bewegen, licht en geluid.
In geval van middenoorontsteking:
- plotseling opkomende, kloppende, hevige pijn
- rode gelaatskleur, iets bleker als men ligt.

Niet gebruiken bij:
Er zijn geen omstandigheden bekend waarbij het gebruik van
dit middel moet worden ontraden.

Bijwerkingen:
Van dit middel zijn geen bijwerkingen bekend.

Combinatie met andere geneesmiddelen:
U kunt dit geneesmiddel in het algemeen zonder bezwaar
gelijktijdig met andere medicijnen gebruiken.

Gebruik tijdens zwangerschap of borstvoeding:
Dit geneesmiddel kan, voorzover bekend, zonder bezwaar
overeenkomstig de voorgeschreven dosering worden gebruikt.
Het verdient in het algemeen aanbeveling bij gebruik van
geneesmiddelen tijdens de zwangerschap en de periode waarin borstvoeding wordt gegeven, eerst uw arts te raadplegen.

Wijze van gebruik:
Tenzij anders is voorgeschreven, 3x daags 5-10 druppels vóór

de maaltijd in wat water innemen. In acute gevallen elk uur 5 druppels, tot de klachten verminderen (niet langer dan 2 dagen).

Gebruiksduur:
Indien noodzakelijk kan het middel langdurig worden toegepast. Indien de klachten aanhouden is het verstandig een arts te raadplegen.

BOLDOCYNARA

Samenstelling:
Aloë ferox ø = D1 - 0,1% (Kaapse aloë)
Berberis vulgaris ø = D1 - 2,0% (zuurbes)
Cynara scolymus ø - 34,0% (artisjok)
Lycopodium clavatum ø = D1 - 0,1% (grote wolfsklauw)
Mentha piperita ø - 2,0% (pepermunt)
Natrium sulfuricum D2 - 1,0% (natriumsulfaat)
Peumus boldus ø = D1 - 5,0% (boldo)
Polygonum aviculare ø - 21,0% (varkensgras)
Raphanus sativus ø - 2,0% (zwarte rammenas)
Silybum marianum ø - 24,0% (mariadistel)
Taraxacum officinale ø - 8,8% (paardebloem).

Eigenschappen van de bestanddelen:
Aloë ø = D1 vermindert de terugwinning van water uit de darminhoud en bevordert het transport van de darminhoud. Bovendien wordt de galproductie verbeterd.
Berberis vulgaris ø = D1 verbetert het transport van de darminhoud en bevordert de galstroom van de galblaas naar de darm.
Cynara scolymus ø vermindert het gevoel van een volle maag, verbetert de leverfunctie, bevordert de aanmaak van gal, voorkomt galsteenvorming en verlaagt het cholesterolgehalte in het bloed.
Lycopodium clavatum ø = D1 verbetert de functie van de lever en de galblaas.
Mentha piperita ø bevordert de aanmaak van gal door de lever en werkt krampopheffend in maag en darmen.
Natrium sulfuricum D2 wordt o.a. toegepast bij verminderde

leverfunctie en bij winderigheid en diarree in de ochtend.
Peumus boldus ø = D1 bevordert de aanmaak van speeksel,
maagsap en gal.
Polygonum aviculare ø bevordert de urine-uitscheiding en
werkt licht samentrekkend.
Raphanus sativus ø bevordert de afvoer van gal uit de galblaas.
Silybum marianum ø beschermt en herstelt de leverfunctie,
bijvoorbeeld nadat de levercellen zijn beschadigd door leverontsteking (hepatitis) of door overmatig alcoholgebruik.
Taraxacum officinale ø verhoogt de galuitscheiding, stimuleert
de spijsvertering en voorkomt galsteenvorming.

Gebruiken bij:
- spijsverteringsstoornissen
- opgeblazen gevoel
- darmgassen
- dysbacteriose
- verstopping en misselijkheid na de maaltijd
- een te hoog cholesterolgehalte in het bloed
- hypoglykemie
- reconvalescentie
- ziekte van Pfeiffer
- galsteen
- jeuk
- lever- en galaandoeningen
- psoriasis.

Niet gebruiken bij:
Er zijn geen omstandigheden bekend waarbij het gebruik van
dit middel moet worden ontraden.

Bijwerkingen:
Van dit middel zijn geen bijwerkingen bekend.

Combinatie met andere geneesmiddelen:
U kunt dit geneesmiddel in het algemeen zonder bezwaar
gelijktijdig met andere medicijnen gebruiken.

Gebruik tijdens zwangerschap of borstvoeding:
Dit geneesmiddel kan, voorzover bekend, zonder bezwaar

overeenkomstig de voorgeschreven dosering worden gebruikt. Het verdient in het algemeen aanbeveling bij gebruik van geneesmiddelen tijdens de zwangerschap en de periode waarin borstvoeding wordt gegeven, eerst uw arts te raadplegen.

Wijze van gebruik:
Tenzij anders is voorgeschreven, 3x daags 10-20 druppels na de maaltijd in wat water innemen.

Gebruiksduur:
Indien noodzakelijk kan het middel langdurig worden toegepast. Indien de klachten aanhouden is het verstandig een arts te raadplegen.

Bewaren:
In dit middel kan enig bezinksel ontstaan. Dit heeft geen nadelige invloed op de geneeskrachtige werking.

BRYONIA D3

Samenstelling:
Bryonia cretica D3 (heggenrank).

Gebruiken bij:
Een homeopathisch geneesmiddel kan doorgaans voor zeer uiteenlopende aandoeningen worden aanbevolen. Dit middel wordt echter het meest toegepast bij:
- griep
- koorts
- middenoorontsteking
- acute en chronische bronchitis
- hoest
- artritis
- hernia
- premenstrueel syndroom
- hoofdpijn
- migraine.

De hierna volgende opsomming van kenmerken waarbij dit middel vooral werkzaam is, is beperkt. Genoemd zijn slechts de volgende, veel voorkomende kenmerken:

In geval van griep en koorts:
- koorts komt geleidelijk op
- transpiratie
- hevige dorst, patiënt drinkt grote hoeveelheden in één keer
  gemakkelijk geïrriteerd
- verergering door beweging en door warmte
- koorts is 's morgens (rond 3.00 tot 4.00 uur) hoger dan
  overdag
- patiënt voelt zich beter door rust, onbeweeglijk liggen,
- koude kompressen en liggen op de gevoelige zijde
- vaak een rood gezicht
- koorts gaat vaak gepaard met verstopping.

In geval van middenoorontsteking:
- pijn komt geleidelijk op
- oor- en hoofdpijn verergeren door elke beweging
- hevige dorst, patiënt drinkt grote hoeveelheden in één keer
- gemakkelijk geïrriteerd
- verergering door beweging en door warmte
- patiënt voelt zich 's morgens (rond 3.00 tot 4.00 uur) slechter
- patiënt voelt zich beter door rust, onbeweeglijk liggen,
  koude kompressen en het liggen op het ontstoken oor.

In geval van acute en chronische bronchitis:
- prikkelende, droge hoest
- stekende pijn in de borst (patiënt voelt zich beter als hij bij
- elke hoest met beide handen de borstkas vasthoudt)
- verergering door beweging en door warmte
- patiënt voelt zich 's morgens (rond 3.00 tot 4.00 uur) slechter
- hevige dorst, patiënt drinkt grote hoeveelheden in één keer
- gemakkelijk geïrriteerd.

In geval van hoest:
- prikkelende, droge hoest
- stekende pijn in de borst (patiënt voelt zich beter als hij bij
  elke hoest met beide handen de borstkas vasthoudt)
- hevige dorst
- patiënt heeft meer last bij beweging.

In geval van artritis:
- klachten verergeren door warmte en door de minste of geringste beweging
- klachten verbeteren door koude omslagen en druk
- hevige dorst
- klachten verbeteren door op de pijnlijke zijde te gaan liggen.

In geval van hernia:
- klachten verergeren door warmte en door de minste of geringste beweging
- verbetering door absoluut stil te liggen
- klachten verbeteren door op de pijnlijke zijde te gaan liggen.

In geval van premenstrueel syndroom:
- pijn aan de rechter eierstok
- vóór de menstruatie pijnlijke, harde borsten die warm aanvoelen (het dragen van een goede bh wordt als prettig ervaren)
- exploderende hoofdpijn die begint met pijn in het voorhoofd en zich uitbreidt tot het gehele hoofd en eventueel de nek.

In geval van hoofdpijn en migraine:
- pijn wordt erger door warm weer
- pijn wordt erger door de minste of geringste beweging
- op de pijnlijke plaats drukken, geeft verlichting.

Niet gebruiken bij:
Er zijn geen omstandigheden bekend waarbij het gebruik van dit middel moet worden ontraden.

Bijwerkingen:
Van dit middel zijn geen bijwerkingen bekend.

Combinatie met andere geneesmiddelen:
U kunt dit geneesmiddel in het algemeen zonder bezwaar gelijktijdig met andere medicijnen gebruiken.

Gebruik tijdens zwangerschap of borstvoeding:
Dit geneesmiddel kan, voorzover bekend, zonder bezwaar overeenkomstig de voorgeschreven dosering worden gebruikt. Het verdient in het algemeen aanbeveling bij gebruik van

geneesmiddelen tijdens de zwangerschap en de periode waarin borstvoeding wordt gegeven, eerst uw arts te raadplegen.

Wijze van gebruik:
Tenzij anders is voorgeschreven, 3x daags 5-10 druppels vóór de maaltijd in wat water innemen. In geval van griep en koorts elke 2 uur 5 druppels tot het beter gaat.
In geval van acute en chronische bronchitis en hoest elke 4 uur 10 druppels tot het beter gaat. In geval van hoofdpijn en migraine elk uur 5 druppels tot het beter gaat.

Gebruiksduur:
Indien noodzakelijk kan het middel langdurig worden toegepast. Indien de klachten aanhouden is het verstandig een arts te raadplegen.

BURSAPASTORIS tinctuur

Samenstelling:
Capsella bursa-pastoris ø (herderstasje).

Eigenschappen van de bestanddelen:
Capsella bursa-pastoris ø werkt bloedstelpend.

Gebruiken bij:
- te sterke of te lang durende menstruatie
- bloedneus.

Niet gebruiken bij:
Er zijn geen omstandigheden bekend waarbij het gebruik van dit middel moet worden ontraden.

Bijwerkingen:
Van dit middel zijn geen bijwerkingen bekend.

Combinatie met andere geneesmiddelen:
U kunt dit geneesmiddel in het algemeen zonder bezwaar gelijktijdig met andere medicijnen gebruiken.

Gebruik tijdens zwangerschap of borstvoeding:
Dit geneesmiddel kan, voorzover bekend, zonder bezwaar overeenkomstig de voorgeschreven dosering worden gebruikt. Het verdient in het algemeen aanbeveling bij gebruik van geneesmiddelen tijdens de zwangerschap en de periode waarin borstvoeding wordt gegeven, eerst uw arts te raadplegen.

Wijze van gebruik:
Tenzij anders is voorgeschreven, 3x daags 10 druppels vóór de maaltijd in wat water innemen. Vrouwen bij wie regelmatig een te sterke of langdurige menstruatie optreedt, doen er goed aan dit middel reeds vanaf een week vóór aanvang van de menstruatie toe te passen. In geval van steeds terugkerende bloedneuzen: 's morgens en 's avonds 10 druppels.

Gebruiksduur:
Indien noodzakelijk kan het middel langdurig worden toegepast. Indien de klachten aanhouden is het verstandig een arts te raadplegen.

Bewaren:
In dit middel kan enig bezinksel ontstaan. Dit heeft geen nadelige invloed op de geneeskrachtige werking.

CALCIUM CARBONICUM HAHNEMANNI D6

Samenstelling:
Calcium carbonicum Hahnemanni D6 (calciumcarbonaat).

Gebruiken bij:
Een homeopathisch geneesmiddel kan doorgaans voor zeer uiteenlopende aandoeningen worden aanbevolen. Dit middel wordt echter het meest toegepast bij:
- chronisch vergrote amandelen
- bronchiale klachten
- angst
- slapeloosheid

- overmatige transpiratie
- onreine huid, huiduitslag
- zwaarlijvigheid.

De hierna volgende opsomming van kenmerken waarbij dit middel vooral werkzaam is, is beperkt. Genoemd zijn slechts de volgende, veel voorkomende kenmerken:
- onreine huid
- klachten verergeren door koude, vocht en bewegen
- altijd trek in zoetigheden
- (vaak) afkeer van melk
- erg kouwelijk
- geestelijk snel vermoeid.

In geval van zwaarlijvigheid:
- papperig gezicht
- te vroege en te langdurige menstruatie.

In geval van slapeloosheid en angst helpt dit middel doorgaans goed bij kinderen die bang zijn in het donker, die veel dromen en snel transpireren, die graag willen dat de deur van de slaapkamer openblijft zodat ze de geluiden van hun ouders kunnen horen en het licht in de gang kunnen zien.

In geval van kinderen:
- bleke gelaatskleur, met blond haar en blauwe ogen
- zijn langzaam, hebben vaak bronchiale klachten en huiduitslag
- gebit en beenderen ontwikkelen zich slecht
- chronisch vergrote amandelen
- huid voelt klam aan
- transpiratie vooral aan het hoofd en de nek
- zijn te dik, met vaak een dikke buik en korte ledematen.

Dit middel dient enkele maanden te worden gegeven.

Niet gebruiken bij:
Er zijn geen omstandigheden bekend waarbij het gebruik van dit middel moet worden ontraden.

Bijwerkingen:
Van dit middel zijn geen bijwerkingen bekend.

Combinatie met andere geneesmiddelen:
U kunt dit geneesmiddel in het algemeen zonder bezwaar gelijktijdig met andere medicijnen gebruiken.

Gebruik tijdens zwangerschap of borstvoeding:
Dit geneesmiddel kan, voorzover bekend, zonder bezwaar overeenkomstig de voorgeschreven dosering worden gebruikt. Het verdient in het algemeen aanbeveling bij gebruik van geneesmiddelen tijdens de zwangerschap en de periode waarin borstvoeding wordt gegeven, eerst uw arts te raadplegen.

Wijze van gebruik:
Tenzij anders is voorgeschreven, 3x daags 1-2 tabletten vóór de maaltijd in de mond uiteen laten vallen.

Gebruiksduur:
Indien noodzakelijk kan het middel langdurig worden toegepast. Indien de klachten aanhouden is het verstandig een arts te raadplegen.

CALCIUM FLUORATUM D12

Samenstelling:
Calcium fluoratum D12 (calciumfluoride).

Gebruiken bij:
Een homeopathisch geneesmiddel kan doorgaans voor zeer uiteenlopende aandoeningen worden aanbevolen. Dit middel wordt echter het meest toegepast bij:
- tandbederf
- cariës
- opgezette klieren die geen pijn doen
- bindweefselzwakte
- chronische rugpijn
- tandjes krijgen.

De hierna volgende opsomming van kenmerken waarbij dit middel vooral werkzaam is, is beperkt. Genoemd zijn slechts de volgende, veel voorkomende kenmerken:

In geval van tandbederf en cariës:
- erg onregelmatig gebit en zwak glazuur.

In geval van chronische rugpijn:
- klachten verergeren door koude en vochtig weer.

Niet gebruiken bij:
Er zijn geen omstandigheden bekend waarbij het gebruik van dit middel moet worden ontraden.

Bijwerkingen:
Van dit middel zijn geen bijwerkingen bekend.

Combinatie met andere geneesmiddelen:
U kunt dit geneesmiddel in het algemeen zonder bezwaar gelijktijdig met andere medicijnen gebruiken.

Gebruik tijdens zwangerschap of borstvoeding:
Dit geneesmiddel kan, voorzover bekend, zonder bezwaar overeenkomstig de voorgeschreven dosering worden gebruikt. Het verdient in het algemeen aanbeveling bij gebruik van geneesmiddelen tijdens de zwangerschap en de periode waarin borstvoeding wordt gegeven, eerst uw arts te raadplegen.

Wijze van gebruik:
Tenzij anders is voorgeschreven, 3x daags 2 tabletten vóór de maaltijd in de mond uiteen laten vallen. In geval van tandjes krijgen: 1x daags 1 tablet fijnmaken en door de voeding mengen.

Gebruiksduur:
Indien noodzakelijk kan het middel langdurig worden toegepast. Indien de klachten aanhouden is het verstandig een arts te raadplegen.

CALCIUM PHOSPHORICUM D6

Samenstelling:
Calcium phosphoricum D6 (calciumfosfaat).

Gebruiken bij:
Een homeopathisch geneesmiddel kan doorgaans voor zeer uiteenlopende aandoeningen worden aanbevolen. Dit middel wordt echter het meest toegepast bij:
- buikpijn
- vergrote neus- en keelamandelen
- hoofdpijn
- migraine
- schoolmoeheid en hoofdpijn.

De hierna volgende opsomming van kenmerken waarbij dit middel vooral werkzaam is, is beperkt. Genoemd zijn slechts de volgende, veel voorkomende kenmerken:
- meestal lange, slanke mensen (kinderen)
- zwakke wervelkolom
- bij geestelijke inspanning snel hoofdpijn
- slechte eetlust (vaak voorkeur voor zoute en gerookte gerechten)
- onrustig en humeurig
- diarree door koude dranken of ijs
- erg kouwelijk.

Niet gebruiken bij:
Er zijn geen omstandigheden bekend waarbij het gebruik van dit middel moet worden ontraden.

Bijwerkingen:
Van dit middel zijn geen bijwerkingen bekend.

Combinatie met andere geneesmiddelen:
U kunt dit geneesmiddel in het algemeen zonder bezwaar gelijktijdig met andere medicijnen gebruiken.

Gebruik tijdens zwangerschap of borstvoeding:
Dit geneesmiddel kan, voorzover bekend, zonder bezwaar overeenkomstig de voorgeschreven dosering worden gebruikt.

Het verdient in het algemeen aanbeveling bij gebruik van geneesmiddelen tijdens de zwangerschap en de periode waarin borstvoeding wordt gegeven, eerst uw arts te raadplegen.

Wijze van gebruik:
Tenzij anders is voorgeschreven, 3x daags 2 tabletten vóór de maaltijd in de mond uiteen laten vallen.

Gebruiksduur:
Indien noodzakelijk kan het middel langdurig worden toegepast. Indien de klachten aanhouden is het verstandig een arts te raadplegen.

CALCIUM SULFURICUM D6

Samenstelling:
Calcium sulfuricum D6 (calciumsulfaat).

Gebruiken bij:
Een homeopathisch geneesmiddel kan doorgaans voor zeer uiteenlopende aandoeningen worden aanbevolen. Dit middel wordt echter het meest toegepast bij:
- steenpuisten, abcessen en ontstekingen aan de huid
- hardnekkige vorming van fistels.

Niet gebruiken bij:
Er zijn geen omstandigheden bekend waarbij het gebruik van dit middel moet worden ontraden.

Bijwerkingen:
Van dit middel zijn geen bijwerkingen bekend.

Combinatie met andere geneesmiddelen:
U kunt dit geneesmiddel in het algemeen zonder bezwaar gelijktijdig met andere medicijnen gebruiken.

Gebruik tijdens zwangerschap of borstvoeding:
Dit geneesmiddel kan, voorzover bekend, zonder bezwaar overeenkomstig de voorgeschreven dosering worden gebruikt. Het verdient in het algemeen aanbeveling bij gebruik van

geneesmiddelen tijdens de zwangerschap en de periode waarin borstvoeding wordt gegeven, eerst uw arts te raadplegen.

Wijze van gebruik:
Tenzij anders is voorgeschreven, 3x daags 2 tabletten vóór de maaltijd in de mond uiteen laten vallen.

Gebruiksduur:
Indien noodzakelijk kan het middel langdurig worden toegepast. Indien de klachten aanhouden is het verstandig een arts te raadplegen.

CALENDULA tinctuur

Samenstelling:
Calendula officinalis ø (goudsbloem).

Eigenschappen van de bestanddelen:
Calendula officinalis ø werkt, uitwendig toegepast, ontstekingremmend en wondgenezend (bevordert de granulatie, dat wil zeggen het stimuleert de vorming van korrelig weefsel op genezende wonden).

Gebruiken bij:
- wonden en wondjes, zoals snij-, stoot- en doorligwonden
- zonnebrand
- brandwonden
- tepelkloven
- slecht genezende wonden.

Niet gebruiken bij:
Er zijn geen omstandigheden bekend waarbij het gebruik van dit middel moet worden ontraden.

Bijwerkingen:
Van dit middel zijn geen bijwerkingen bekend.

Combinatie met andere geneesmiddelen:
U kunt dit geneesmiddel in het algemeen zonder bezwaar gelijktijdig met andere medicijnen gebruiken.

Gebruik tijdens zwangerschap of borstvoeding:
Dit geneesmiddel kan, voorzover bekend, zonder bezwaar
overeenkomstig de voorgeschreven dosering worden gebruikt.
Het verdient in het algemeen aanbeveling bij gebruik van
geneesmiddelen tijdens de zwangerschap en de periode waarin borstvoeding wordt gegeven, eerst uw arts te raadplegen.

Wijze van gebruik:
Uitwendig, enige malen per dag rechtstreeks op de wond
druppelen of verdunnen met gekookt, afgekoeld water: 1 deel
Calendula tinctuur op 3 delen water. Mocht dit uitwendige
middel per abuis zijn ingenomen, dan heeft dit geen nadelige
gevolgen.

Gebruiksduur:
Indien noodzakelijk kan het middel langdurig worden toegepast. Indien de klachten aanhouden is het verstandig een arts
te raadplegen.

Bewaren:
In dit middel kan enig bezinksel ontstaan. Dit heeft geen nadelige invloed op de geneeskrachtige werking.

CANTHARIS D6

Samenstelling:
Lytta vesicatoria D6 (Spaanse vlieg).

Gebruiken bij:
Een homeopathisch geneesmiddel kan doorgaans voor zeer
uiteenlopende aandoeningen worden aanbevolen. Dit middel
wordt echter het meest toegepast bij:
- blaarvorming op de huid
- blaasontsteking en andere urinewegirritaties
- seksuele overprikkeling.

De hierna volgende opsomming van kenmerken waarbij dit middel vooral werkzaam is, is beperkt. Genoemd zijn slechts de volgende, veel voorkomende kenmerken:
- stemming is onrustig, angstig
- klachten verergeren na drinken en bij beweging.

In geval van blaarvorming op de huid:
- klachten gaan gepaard met jeuk en een branderig gevoel.
In geval van blaasontsteking:
- klachten gaan gepaard met een branderig gevoel.

Niet gebruiken bij:
Er zijn geen omstandigheden bekend waarbij het gebruik van dit middel moet worden ontraden.

Bijwerkingen:
Van dit middel zijn geen bijwerkingen bekend.

Combinatie met andere geneesmiddelen:
U kunt dit geneesmiddel in het algemeen zonder bezwaar gelijktijdig met andere medicijnen gebruiken.

Gebruik tijdens zwangerschap of borstvoeding:
Dit geneesmiddel kan, voorzover bekend, zonder bezwaar overeenkomstig de voorgeschreven dosering worden gebruikt. Het verdient in het algemeen aanbeveling bij gebruik van geneesmiddelen tijdens de zwangerschap en de periode waarin borstvoeding wordt gegeven, eerst uw arts te raadplegen.

Wijze van gebruik:
Tenzij anders is voorgeschreven, 3x daags 5-10 druppels vóór de maaltijd in wat water innemen.

Gebruiksduur:
Indien noodzakelijk kan het middel langdurig worden toegepast. Indien de klachten aanhouden is het verstandig een arts te raadplegen.

CARDUUS MARIANUS tinctuur

Samenstelling:
Silybum marianum ø = D1 (mariadistel).

Eigenschappen van de bestanddelen:
Silybum marianum ø = D1 heeft een gunstige werking op de galblaas, is een beschermer van de levercel en beschermt en herstelt de leverfunctie, bijvoorbeeld nadat de levercellen zijn beschadigd door leverontsteking (hepatitis) of door overmatig alcoholgebruik.

Gebruiken bij:
- aambeien zonder bloedverlies
- (veroorzaakt door een gebrekkige leverfunctie)
- galstenen
- geelzucht
- leveraandoeningen
- depressies.

Niet gebruiken bij:
Er zijn geen omstandigheden bekend waarbij het gebruik van dit middel moet worden ontraden.

Bijwerkingen:
In een enkel geval kan diarree voorkomen. De dosering moet dan worden verlaagd.

Combinatie met andere geneesmiddelen:
U kunt dit geneesmiddel in het algemeen zonder bezwaar gelijktijdig met andere medicijnen gebruiken.

Gebruik tijdens zwangerschap of borstvoeding:
Dit geneesmiddel kan, voorzover bekend, zonder bezwaar overeenkomstig de voorgeschreven dosering worden gebruikt. Het verdient in het algemeen aanbeveling bij gebruik van geneesmiddelen tijdens de zwangerschap en de periode waar-in borstvoeding wordt gegeven, eerst uw arts te raadplegen.

Wijze van gebruik:
Tenzij anders is voorgeschreven, 3x daags 20 druppels in wat water innemen.

CAUSTICUM D4

Samenstelling:
Causticum Hahnemanni D4 (ongebluste kalk).

Gebruiken bij:
Een homeopathisch geneesmiddel kan doorgaans voor zeer
uiteenlopende aandoeningen worden aanbevolen. Dit middel
wordt echter het meest toegepast bij:
- urine-incontinentie
- bedplassen
- oorsuizingen
- reumatische klachten.

De hierna volgende opsomming van kenmerken waarbij dit
middel vooral werkzaam is, is beperkt. Genoemd zijn de volgende, veel voorkomende kenmerken:
- magere, bleekgele, vermoeide mensen
- gevoelig voor verdriet van anderen.

In geval van urine-incontinentie:
- onvrijwillig urineverlies bij hoesten, niezen en persen
  (stress-incontinentie)
- lichamelijke en geestelijke zwakte.

In geval van bedplassen:
- onvrijwillige urinelozing in de eerste slaap
- lichamelijke en geestelijke zwakte.

In geval van oorsuizingen:
- lichamelijke en geestelijke zwakte
- patiënt heeft minder last bij vochtig, warm weer
- patiënt heeft meer last bij droog, koud weer
- (vaak) klachten aan de rechterzijde erger dan aan de linkerzijde.

In geval van reumatische klachten:
- verergering bij droog en koud weer.

Niet gebruiken bij:
Er zijn geen omstandigheden bekend waarbij het gebruik van
dit middel moet worden ontraden.

Bijwerkingen:
Van dit middel zijn geen bijwerkingen bekend.

Combinatie met andere geneesmiddelen:
U kunt dit geneesmiddel in het algemeen zonder bezwaar gelijktijdig met andere medicijnen gebruiken.

Gebruik tijdens zwangerschap of borstvoeding:
Dit geneesmiddel kan, voorzover bekend, zonder bezwaar overeenkomstig de voorgeschreven dosering worden gebruikt. Het verdient in het algemeen aanbeveling bij gebruik van geneesmiddelen tijdens de zwangerschap en de periode waarin borstvoeding wordt gegeven, eerst uw arts te raadplegen.

Wijze van gebruik:
Tenzij anders is voorgeschreven, 3x daags 5-10 druppels vóór de maaltijd in wat water innemen.

Gebruiksduur:
Indien noodzakelijk kan het middel langdurig worden toegepast. Indien de klachten aanhouden is het verstandig een arts te raadplegen.

CENTAURIUM tinctuur

Samenstelling:
Centaurium minus ø (duizendguldenkruid).

Eigenschappen van de bestanddelen:
Centaurium minus ø reguleert de maagsapafgifte en bevordert de aanmaak van speeksel.

Gebruiken bij:
- maagklachten (bijv. door een tekort aan maagsap)
- eetlustgebrek.

Niet gebruiken bij:
Er zijn geen omstandigheden bekend waarbij het gebruik van dit middel moet worden ontraden.

Bijwerkingen:
Van dit middel zijn geen bijwerkingen bekend.

Combinatie met andere geneesmiddelen:
U kunt dit geneesmiddel in het algemeen zonder bezwaar gelijktijdig met andere medicijnen gebruiken.

Gebruik tijdens zwangerschap of borstvoeding:
Dit geneesmiddel kan, voorzover bekend, zonder bezwaar overeenkomstig de voorgeschreven dosering worden gebruikt. Het verdient in het algemeen aanbeveling bij gebruik van geneesmiddelen tijdens de zwangerschap en de periode waarin borstvoeding wordt gegeven, eerst uw arts te raadplegen.

Wijze van gebruik:
Tenzij anders is voorgeschreven, 3x daags 10 druppels vóór de maaltijd in wat water innemen. Bij chronische maagklachten bereikt het middel zijn hoogste werkzaamheid wanneer het enkele weken achtereen wordt gebruikt.

Gebruiksduur:
Indien noodzakelijk kan het middel langdurig worden toegepast. Indien de klachten aanhouden is het verstandig een arts te raadplegen.

Bewaren:
In dit middel kan enig bezinksel ontstaan. Dit heeft geen nadelige invloed op de geneeskrachtige werking.

CHAMOMILLA D4

Samenstelling:
Chamomilla recutita D4 (echte kamille).

Gebruiken bij:
Een homeopathisch geneesmiddel kan doorgaans voor zeer uiteenlopende aandoeningen worden aanbevolen. Dit middel wordt echter het meest toegepast bij:
- angst

- griep
- krampen
- maagslijmvliesontsteking
- pijnlijke menstruatie
- te sterke of langdurige menstruatie
- nervositeit
- middenoorontsteking
- tandjes krijgen.

De hierna volgende opsomming van kenmerken waarbij dit
middel vooral werkzaam is, is beperkt. Genoemd zijn slechts
de volgende, veel voorkomende kenmerken:

In geval van angst/nervositeit:
- nerveuze kinderen
- kind dat met tegenzin naar bed gaat
- kind wil steeds gedragen worden en is humeurig.

In geval van maagslijmvliesontsteking:
- onrust en nervositeit (vooral bij kinderen)
- voedsel drukt als een steen op de maag
- patiënt transpireert na de maaltijd (op het gezicht).

In geval van pijnlijke, te sterke of langdurige menstruatie:
- te sterke bloedingen, donker van kleur en klonterig
- ondraaglijke, weeachtige pijnen
- patiënte is nerveus en humeurig
- warmte verergert de klachten
- korte cycli.

In geval van koorts, griep:
- plotseling opkomende, hoge koorts
- patiënt voelt zich 's avonds en 's nachts slechter
- transpiratie (vooral 's nachts)
- patiënt is gemakkelijk geïrriteerd en moeilijk tevreden te
  stellen
- kind wil steeds gedragen worden
- één wang rood en heet, één wang bleek en koud.

In geval van middenoorontsteking:
- plotseling opkomende pijn
- patiënt is ook verkouden
- patiënt voelt zich 's avonds en 's nachts slechter
  (kinderen worden vaak gillend van de pijn wakker)
- één wang rood en warm, één wang bleek en koud
- kind wil steeds gedragen worden.

In geval van tandjes krijgen:
- kind huilt vooral 's nachts van de pijn
- kind wil steeds gedragen worden
- één wang rood en warm, één wang bleek en koud.

Niet gebruiken bij:
Er zijn geen omstandigheden bekend waarbij het gebruik van dit middel moet worden ontraden.

Bijwerkingen:
Van dit middel zijn geen bijwerkingen bekend.

Combinatie met andere geneesmiddelen:
U kunt dit geneesmiddel in het algemeen zonder bezwaar gelijktijdig met andere medicijnen gebruiken.

Gebruik tijdens zwangerschap of borstvoeding:
Dit geneesmiddel kan, voorzover bekend, zonder bezwaar overeenkomstig de voorgeschreven dosering worden gebruikt. Het verdient in het algemeen aanbeveling bij gebruik van geneesmiddelen tijdens de zwangerschap en de periode waarin borstvoeding wordt gegeven, eerst uw arts te raadplegen.

Wijze van gebruik:
Tenzij anders is voorgeschreven, 3x daags 5-10 druppels vóór de maaltijd in wat water innemen. In acute gevallen elk uur 5 druppels, tot de klachten verminderen. In geval van krampen: elke 10 minuten 5 druppels.

Gebruiksduur:
Indien noodzakelijk kan het middel langdurig worden toegepast. Indien de klachten aanhouden is het verstandig een arts te raadplegen.

CHELIDONIUM D3

Samenstelling:
Chelidonium D3 (stinkende gouwe).

Gebruiken bij:
Een homeopathisch geneesmiddel kan doorgaans voor zeer uiteenlopende aandoeningen worden aanbevolen. Dit middel wordt echter het meest toegepast bij:
- lever- en galaandoeningen
- rechtszijdige hoofdpijn.

De hierna volgende opsomming van kenmerken waarbij dit middel vooral werkzaam is, is beperkt. Genoemd zijn slechts de volgende, veel voorkomende kenmerken:
- krampen die vooral 's nachts optreden en die uitstralen naar de onderkant van het rechter schouderblad
- bittere smaak in de mond
- bovenste ledematen zijn opgezwollen
- gelige verkleuring van huid en oogwit
- gauw een 'vol gevoel'
- klachten verminderen na de maaltijd en verergeren na veel en vet eten.

Niet gebruiken bij:
Er zijn geen omstandigheden bekend waarbij het gebruik van dit middel moet worden ontraden.

Bijwerkingen:
Van dit middel zijn geen bijwerkingen bekend.

Combinatie met andere geneesmiddelen:
U kunt dit geneesmiddel in het algemeen zonder bezwaar gelijktijdig met andere medicijnen gebruiken.

Gebruik tijdens zwangerschap of borstvoeding:
Dit geneesmiddel kan, voorzover bekend, zonder bezwaar overeenkomstig de voorgeschreven dosering worden gebruikt. Het verdient in het algemeen aanbeveling bij gebruik van geneesmiddelen tijdens de zwangerschap en de periode waarin borstvoeding wordt gegeven, eerst uw arts te raadplegen.

Wijze van gebruik:
Tenzij anders is voorgeschreven, 3x daags 5-10 druppels vóór
de maaltijd in wat water innemen.

Gebruiksduur:
Indien noodzakelijk kan het middel langdurig worden toegepast. Indien de klachten aanhouden is het verstandig een arts
te raadplegen.

CINNABARIS D3

Samenstelling:
Hydrargyrum sulfuratum rubrum D3 (rood kwiksulfide).

Gebruiken bij:
Een homeopathisch geneesmiddel kan doorgaans voor zeer
uiteenlopende aandoeningen worden aanbevolen. Dit middel
wordt echter het meest toegepast bij:
- bijholteontsteking.

De hierna volgende opsomming van kenmerken waarbij dit
middel vooral werkzaam is, is beperkt. Genoemd zijn slechts
de volgende, veel voorkomende kenmerken:
- drukkende pijn ter hoogte van de holten en de neuswortel
- taaie afscheiding waarvan men vaak last heeft in de keelholte
- slechte adem
- nachtzweten
- tandafdrukken op de tong.

Niet gebruiken bij:
Er zijn geen omstandigheden bekend waarbij het gebruik van
dit middel moet worden ontraden.

Bijwerkingen:
Van dit middel zijn geen bijwerkingen bekend.

Combinatie met andere geneesmiddelen:
U kunt dit geneesmiddel in het algemeen zonder bezwaar
gelijktijdig met andere medicijnen gebruiken.

Gebruik tijdens zwangerschap of borstvoeding:
Dit geneesmiddel kan, voorzover bekend, zonder bezwaar
overeenkomstig de voorgeschreven dosering worden gebruikt.
Het verdient in het algemeen aanbeveling bij gebruik van
geneesmiddelen tijdens de zwangerschap en de periode waarin borstvoeding wordt gegeven, eerst uw arts te raadplegen.

Wijze van gebruik:
Tenzij anders is voorgeschreven, 3x daags 2 tabletten vóór de
maaltijd in de mond uiteen laten vallen.

Gebruiksduur:
Indien noodzakelijk kan het middel langdurig worden toegepast. Indien de klachten aanhouden is het verstandig een arts
te raadplegen.

CINUFORCE

Samenstelling:
Hydrargyrum sulfuratum rubrum D8 - 19,2% (rood kwiksulfide)
Hydrastis canadensis D6 - 19,2% (Canadese geelwortel)
Kalium bichromicum D6 - 19,2% (kaliumbichromaat)
Lemna minor D3 - 19,2% (klein kroos)
Luffa operculata D6 - 19,2% (luffa).

Eigenschappen van de bestanddelen:
Hydrargyrum sulfuratum rubrum D8 helpt bij bijholteontsteking.
Hydrastis canadensis D6 heeft een gunstige invloed op de
slijmvliezen van onder andere de neus- en bijholten.
Kalium bichromicum D6 wordt toegepast bij slijmvliesontsteking van de luchtwegen en wordt aanbevolen bij onder andere
pijn in het voorhoofd en/of druk boven de neus, die wordt veroorzaakt door voorhoofdsholteontsteking.
Lemna minor D3 vermindert de zwelling van het neusslijm-
vlies.
Luffa operculata D6 helpt bij vastzittende verkoudheid en ontsteking van de bijholten.

Gebruiken bij:
- neusverkoudheid
- voorhoofdsholteontsteking
- bijholteontsteking.

Niet gebruiken bij:
Er zijn geen omstandigheden bekend waarbij het gebruik van dit middel moet worden ontraden.

Bijwerkingen:
Van dit middel zijn bij de aangegeven dosering geen bijwerkingen bekend.

Combinatie met andere geneesmiddelen:
U kunt dit geneesmiddel in het algemeen zonder bezwaar gelijktijdig met andere medicijnen gebruiken.

Gebruik tijdens zwangerschap of borstvoeding:
Dit geneesmiddel kan, voorzover bekend, zonder bezwaar overeenkomstig de voorgeschreven dosering worden gebruikt. Het verdient in het algemeen aanbeveling bij gebruik van geneesmiddelen tijdens de zwangerschap en de periode waarin borstvoeding wordt gegeven, eerst uw arts te raadplegen.

Wijze van gebruik:
Tenzij anders is voorgeschreven, 3x daags 2 tabletten vóór de maaltijd in de mond uiteen laten vallen. In acute gevallen elk uur 1-2 tabletten tot maximaal 12 tabletten per dag.
In een enkel geval kunnen de klachten na inname van het middel verergeren. Stop dan met innemen. Nadat de verergering is verdwenen, kunt u een lagere dosering van dit middel gebruiken.

Gebruiksduur:
Indien noodzakelijk kan het middel langdurig worden toegepast. Indien de klachten aanhouden is het verstandig een arts te raadplegen.

COCCULUS D4

Samenstelling:
Anamirta cocculus D4 (kockelkoren).

Gebruiken bij:
Een homeopathisch geneesmiddel kan doorgaans voor zeer uiteenlopende aandoeningen worden aanbevolen. Dit middel wordt echter het meest toegepast bij:
- duizeligheid
- reisziekte
- oorsuizingen
- onregelmatige menstruatie
- pijnlijke menstruatie
- te sterke of langdurige menstruatie.

De hierna volgende opsomming van kenmerken waarbij dit middel vooral werkzaam is, is beperkt. Genoemd zijn slechts de volgende, veel voorkomende kenmerken:
- een hoofd dat hol en leeg lijkt
- klachten ten gevolge van te weinig slaap.

In geval van duizeligheid:
- duizelig met pijn in het achterhoofd
- misselijk en braken.

In geval van reisziekte:
- misselijk en duizelig
- pijn in het achterhoofd
- afkeer van frisse lucht.

In geval van oorsuizingen:
- misselijk en duizelig
- pijn in het achterhoofd
- afkeer van frisse lucht.

In geval van onregelmatige, pijnlijke, te sterke of langdurige menstruatie:
- menstruatie komt te vroeg
- veel bloedverlies en kolieken

- patiënte voelt zich tijdens de menstruatie erg zwak
- beweging verergert de pijn van de kolieken.

Niet gebruiken bij:
Er zijn geen omstandigheden bekend waarbij het gebruik van
dit middel moet worden ontraden.

Bijwerkingen:
Van dit middel zijn geen bijwerkingen bekend.

Combinatie met andere geneesmiddelen:
U kunt dit geneesmiddel in het algemeen zonder bezwaar
gelijktijdig met andere medicijnen gebruiken.

Gebruik tijdens zwangerschap of borstvoeding:
Dit geneesmiddel kan, voorzover bekend, zonder bezwaar
overeenkomstig de voorgeschreven dosering worden gebruikt.
Het verdient in het algemeen aanbeveling bij gebruik van
geneesmiddelen tijdens de zwangerschap en de periode waarin borstvoeding wordt gegeven, eerst uw arts te raadplegen.

Wijze van gebruik:
Tenzij anders is voorgeschreven, 3x daags 5-10 druppels vóór
de maaltijd in wat water innemen. In geval van reisziekte
enkele dagen voor de reis al beginnen met innemen en dit ook
tijdens de reis gebruiken (om het uur 10 druppels).

COCCUS CACTI D4

Samenstelling:
Dactylopius coccus D4 (cochenilleluis).

Gebruiken bij:
Een homeopathisch geneesmiddel kan doorgaans voor zeer
uiteenlopende aandoeningen worden aanbevolen. Dit middel
wordt echter het meest toegepast bij:
- acute en chronische bronchitis
- asthma bronchiale
- hoesten.

De hierna volgende opsomming van kenmerken waarbij dit middel vooral werkzaam is, is beperkt. Genoemd zijn slechts de volgende, veel voorkomende kenmerken:
- overvloedige slijmafscheiding
- draderig slijm
- verbetering door het drinken van koud water
- verergering in een warme kamer
- patiënt voelt zich vooral in de ochtend en bij het wakker worden slechter
- gevoel van samensnoeren van de keel
- nauwsluitende kleding wordt niet verdragen.

Niet gebruiken bij:
Er zijn geen omstandigheden bekend waarbij het gebruik van dit middel moet worden ontraden.

Bijwerkingen:
Van dit middel zijn geen bijwerkingen bekend.

Combinatie met andere geneesmiddelen:
U kunt dit geneesmiddel in het algemeen zonder bezwaar gelijktijdig met andere medicijnen gebruiken.

Gebruik tijdens zwangerschap of borstvoeding:
Dit geneesmiddel kan, voorzover bekend, zonder bezwaar overeenkomstig de voorgeschreven dosering worden gebruikt. Het verdient in het algemeen aanbeveling bij gebruik van geneesmiddelen tijdens de zwangerschap en de periode waar-in borstvoeding wordt gegeven, eerst uw arts te raadplegen.

Wijze van gebruik:
Tenzij anders is voorgeschreven, 3x daags 5-10 druppels vóór de maaltijd in wat water innemen.

Gebruiksduur:
Indien noodzakelijk kan het middel langdurig worden toege-past. Indien de klachten aanhouden is het verstandig een arts te raadplegen.

COFFEA D3

Samenstelling:
Coffea arabica semen D3 (koffieplant).

Gebruiken bij:
Een homeopathisch geneesmiddel kan doorgaans voor zeer
uiteenlopende aandoeningen worden aanbevolen. Dit middel
wordt echter het meest toegepast bij:
- slapeloosheid.

De hierna volgende opsomming van kenmerken waarbij dit
middel vooral werkzaam is, is beperkt. Genoemd zijn slechts
de volgende, veel voorkomende kenmerken:
- wanneer gedachten maar door het hoofd blijven dwarrelen
- na opwindende gebeurtenissen, na grote geestelijke inspanning
- wanneer pijn slecht wordt verdragen
- overgevoeligheid voor geluiden, geuren en licht
- men is rusteloos, overactief en opgewonden.

Niet gebruiken bij:
Er zijn geen omstandigheden bekend waarbij het gebruik van
dit middel moet worden ontraden.

Bijwerkingen:
Van dit middel zijn geen bijwerkingen bekend.

Combinatie met andere geneesmiddelen:
U kunt dit geneesmiddel in het algemeen zonder bezwaar
gelijktijdig met andere medicijnen gebruiken.

Gebruik tijdens zwangerschap of borstvoeding:
Dit geneesmiddel kan, voorzover bekend, zonder bezwaar
overeenkomstig de voorgeschreven dosering worden gebruikt.
Het verdient in het algemeen aanbeveling bij gebruik van
geneesmiddelen tijdens de zwangerschap en de periode waarin borstvoeding wordt gegeven, eerst uw arts te raadplegen.

Wijze van gebruik:
Tenzij anders is voorgeschreven, 3x daags 5-10 druppels vóór
de maaltijd in wat water innemen.

Gebruiksduur:
Indien noodzakelijk kan het middel langdurig worden toegepast. Indien de klachten aanhouden is het verstandig een arts te raadplegen.

CONVALLARIA D3

Samenstelling:
Convallaria majalis D3 (lelietje-van-dalen).

Gebruiken bij:
Een homeopathisch geneesmiddel kan doorgaans voor zeer uiteenlopende aandoeningen worden aanbevolen. Dit middel wordt echter het meest toegepast bij:
- beginnende hartzwakte met waterzucht
- het benauwde gevoel dat het hart soms stilstaat en plotseling weer gaat kloppen
- onregelmatig kloppend hart
- de klachten verergeren bij inspanning.

Niet gebruiken bij:
Er zijn geen omstandigheden bekend waarbij het gebruik van dit middel moet worden ontraden.

Waarschuwing!
Bij hartklachten is het verstandig een arts te raadplegen.

Bijwerkingen:
Van dit middel zijn geen bijwerkingen bekend.

Combinatie met andere geneesmiddelen:
U kunt dit geneesmiddel in het algemeen zonder bezwaar gelijktijdig met andere medicijnen gebruiken.

Gebruik tijdens zwangerschap of borstvoeding:
Dit geneesmiddel kan, voorzover bekend, zonder bezwaar overeenkomstig de voorgeschreven dosering worden gebruikt. Het verdient in het algemeen aanbeveling bij gebruik van geneesmiddelen tijdens de zwangerschap en de periode waarin borstvoeding wordt gegeven, eerst uw arts te raadplegen.

71

Wijze van gebruik:
Tenzij anders is voorgeschreven, 3x daags 5-10 druppels vóór de maaltijd in wat water innemen.

Gebruiksduur:
Indien noodzakelijk kan het middel langdurig worden toegepast. Indien de klachten aanhouden is het verstandig een arts te raadplegen.

CRATAEGUS COMPLEX

Samenstelling:
Aurum chloratum D3 - 0,3% (goudchloride)
Avena sativa ø - 20,0% (haver)
Camphora D3 - 0,04% (kamfer)
Crataegus ø - 50,0% (meidoorn)
Ilex aquifolium ø - 1,0% (hulst)
Melissa officinalis ø - 5,0% (citroenmelisse)
Selenicereus grandiflorus ø - 3,0% (koningin-van-de-nacht)
Strophanthus gratus ø = D1 - 0,02% (liaan)
Valeriana officinalis ø = D1 - 5,0% (valeriaan).

Eigenschappen van de bestanddelen:
Aurum chloratum D3 helpt o.a. bij chronische hartklachten.
Avena sativa ø versterkt het zenuwstelsel, kalmeert en ontspant.
Camphora D3 helpt o.a. bij krachteloosheid.
Crataegus ø verbetert de doorbloeding van het hart door verwijding van de kransslagaderen.
Ilex aquifolium ø heeft o.a. urinedrijvende eigenschappen.
Melissa officinalis ø kalmeert en werkt krampopheffend.
Selenicereus grandiflorus ø verbetert de doorbloeding van de hartspier.
Strophanthus gratus ø = D1 doet het hart langzamer, maar krachtiger samentrekken.
Valeriana officinalis ø = D1 ontspant en werkt kalmerend.

Gebruiken bij:
- angina pectoris
- hartzwakte

- ouderdomshart
- waterzucht.

Niet gebruiken bij:
Er zijn geen omstandigheden bekend waarbij het gebruik van
dit middel moet worden ontraden.

Bijwerkingen:
Van dit middel zijn geen bijwerkingen bekend.

Combinatie met andere geneesmiddelen:
U kunt dit geneesmiddel in het algemeen zonder bezwaar
gelijktijdig met andere medicijnen gebruiken.

Gebruik tijdens zwangerschap of borstvoeding:
Dit geneesmiddel kan, voorzover bekend, zonder bezwaar
overeenkomstig de voorgeschreven dosering worden gebruikt.
Het verdient in het algemeen aanbeveling bij gebruik van
geneesmiddelen tijdens de zwangerschap en de periode waarin borstvoeding wordt gegeven, eerst uw arts te raadplegen.

Wijze van gebruik:
Tenzij anders is voorgeschreven, 3x daags 15-20 druppels
vóór de maaltijd in wat water innemen.

Gebruiksduur:
Indien noodzakelijk kan het middel langdurig worden toegepast. Indien de klachten aanhouden is het verstandig een arts
te raadplegen.

Bewaren:
In dit middel kan enig bezinksel ontstaan. Dit heeft geen nadelige invloed op de geneeskrachtige werking.

CRATAEGUS COMPLEX tabletten

Samenstelling:
1 tablet bevat de werkzame bestanddelen van 10 druppels
Crataegus complex.

Samenstelling Crataegus complex (druppels):
Aurum chloratum D3 - 0,3% (goudchloride)
Avena sativa ø - 20,0% (haver)
Camphora D3 - 0,04% (kamfer)
Crataegus ø - 50,0% (meidoorn)
Ilex aquifolium ø - 1,0% (hulst)
Melissa officinalis ø - 5,0% (citroenmelisse)
Selenicereus grandiflorus ø - 3,0% (koningin-van- de-nacht)
Strophanthus gratus ø = D1 - 0,02% (liaan)
Valeriana officinalis ø = D1 - 5,0% (valeriaan).

Eigenschappen van de bestanddelen:
Aurum chloratum D3 helpt o.a. bij chronische hartklachten.
Avena sativa ø versterkt het zenuwstelsel, kalmeert en ontspant.
Camphora D3 helpt o.a. bij krachteloosheid.
Crataegus ø verbetert de doorbloeding van het hart door verwijding van de kransslagaderen.
Ilex aquifolium ø heeft o.a. urinedrijvende eigenschappen.
Melissa officinalis ø kalmeert en werkt krampopheffend.
Selenicereus grandiflorus ø verbetert de doorbloeding van de hartspier.
Strophanthus gratus ø = D1 doet het hart langzamer, maar krachtiger samentrekken.
Valeriana officinalis ø = D1 ontspant en werkt kalmerend.

Gebruiken bij:
- angina pectoris
- hartzwakte
- ouderdomshart
- waterzucht.

Niet gebruiken bij:
Er zijn geen omstandigheden bekend waarbij het gebruik van dit middel moet worden ontraden.

Bijwerkingen:
Van dit middel zijn geen bijwerkingen bekend.

Combinatie met andere geneesmiddelen:
U kunt dit geneesmiddel in het algemeen zonder bezwaar gelijktijdig met andere medicijnen gebruiken.

Gebruik tijdens zwangerschap of borstvoeding:
Dit geneesmiddel kan, voorzover bekend, zonder bezwaar overeenkomstig de voorgeschreven dosering worden gebruikt. Het verdient in het algemeen aanbeveling bij gebruik van geneesmiddelen tijdens de zwangerschap en de periode waarin borstvoeding wordt gegeven, eerst uw arts te raadplegen.

Wijze van gebruik:
Tenzij anders is voorgeschreven, 3x daags 2 tabletten vóór de maaltijd met wat water innemen.

Gebruiksduur:
Indien noodzakelijk kan het middel langdurig worden toegepast. Indien de klachten aanhouden is het verstandig een arts te raadplegen.

CRÈME ARNICAFORCE

Samenstelling:
Arnica montana ø - 12% (valkruid)
Chamomilla recutita ø - 4% (echte kamille)
Symphytum officinale ø - 4% (smeerwortel)
Crèmebasis 80%.

Eigenschappen van de bestanddelen:
Arnica montana ø vermindert de zwelling als gevolg van stoten (bloeduitstorting), kneuzing of verrekking en werkt pijnstillend.
Chamomilla recutita ø werkt ontstekingremmend.
Symphytum officinale ø vermindert de spierpijn, bevordert de (wond)genezing en de doorbloeding.

Gebruiken bij:
- bloeduitstorting

- kneuzing
- spit
- spierpijn
- stijve nek
- verrekking.

Niet gebruiken bij:
Overgevoeligheid voor Arnica.

Bijwerkingen:
Van deze crème zijn geen bijwerkingen bekend.

Wijze van gebruik:
Meerdere malen per dag dun opbrengen en zachtjes inwrijven.
De crème kan ook met een kompres op de pijnlijke plek worden toegepast.

CRÈME BIOFORCE

Samenstelling:
Aqua Hamamelidis C.M.N. - 1,94% (Virginische toverhazelaar)
Arnica montana ø - 1,94% (valkruid)
Calendula officinalis ø - 4,26% (goudsbloem)
Hamamelis virginiana extr. - 0,19% (Virginische toverhazelaar)
Hypericum perforatum oleum - 14,53% (sint-janskruid)
Salvia officinalis ø - 2,91% (echte salie)
Sanicula europaea ø - 2,91% (heelkruid)
Crèmebasis - 71,32%
De crèmebasis bevat wolvet.

Eigenschappen van de bestanddelen:
Aqua Hamamelidis C.M.N. en Hamamelis virginiana extr. werken o.a. samentrekkend, verbeteren de doorbloeding en daardoor de vorming van nieuwe huid.
Arnica montana ø werkt o.a. ontstekingremmend, antiseptisch en pijnstillend.
Calendula officinalis ø werkt ontstekingremmend en bevordert de wondgenezing.

Hypericum perforatum oleum werkt o.a. ontstekingremmend en bevordert de wondgenezing.
Salvia officinalis ø werkt ontstekingremmend en desinfecterend.
Sanicula europaea ø werkt desinfecterend en remt schimmelgroei.

Gebruiken bij:
- ter voorkoming van borstklierontsteking
- dauwworm
- huidklachten, waaronder luieruitslag, eczeem, psoriasis, netelroos, tepelkloofjes
- doorliggen.

Niet gebruiken bij:
Overgevoeligheid voor Arnica.

Bijwerkingen:
Van deze crème zijn geen bijwerkingen bekend.

Wijze van gebruik:
Meerdere malen per dag naar behoefte opbrengen.

CRÈME ECHINAFORCE

Samenstelling:
Echinacea purpurea ø - 14% (rode zonnehoed)
Melissa officinalis ø - 6% (citroenmelisse)
Crèmebasis 80%.

Eigenschappen van de bestanddelen:
Echinacea purpurea ø werkt o.a. antiseptisch en antiviraal en verbetert de wondgenezing.
Melissa officinalis ø werkt o.a. antiviraal en tegen zenuwpijn.

Gebruiken bij:
- infecties/ontstekingen van de huid (met blaasjes, puistjes, rode vlekken of schilfering)
- ontvellingen
- herpesinfecties zoals koortslip en gordelroos

- wondbehandeling
- open been.

Niet gebruiken bij:
Er zijn geen omstandigheden bekend waarbij het gebruik van
dit middel moet worden ontraden.

Bijwerkingen:
Van deze crème zijn geen bijwerkingen bekend.

Wijze van gebruik:
Meerdere malen per dag dun opbrengen. De crème kan eventueel met een kompres worden toegepast.

CRÈME MENTHAFORCE

Samenstelling:
Aqua Hamamelidis C.M.N. - 8,0% (Virginische
toverhazelaar)
Calendula officinalis ø - 2,0% (goudsbloem)
Citrus aurantium oleum - 2,0% (citroen)
Hamamelis virginiana extr. - 0,5% (Virginische toverhazelaar)
Hypericum perforatum oleum - 21,5% (sint-janskruid)
Mentha piperita ø - 7,5% (pepermunt)
Mentha piperita oleum - 9,5% (pepermuntolie)
Crèmebasis - 49,0%
De crèmebasis bevat wolvet.

Eigenschappen van de bestanddelen:
Aqua Hamamelidis C.M.N. en Hamamelis virginiana extr.
bevorderen o.a. de doorbloeding van de huid en werken antiseptisch.
Calendula officinalis ø werkt o.a. ontstekingremmend.
Citrus aurantium oleum heeft een ontspannend effect.
Hypericum perforatum oleum verbetert de doorbloeding en
heeft ontstekingremmende eigenschappen.
Mentha piperita ø en Mentha piperita oleum verminderen de
productie van slijm en hebben een pijnstillend effect op ontstoken slijmvliezen.

Gebruiken bij:
- acute verkoudheid
- neusverkoudheid
- vastzittend slijm en hoesten als gevolg van bronchiale
  klachten.

Niet gebruiken bij:
Er zijn geen omstandigheden bekend waarbij het gebruik van
dit middel moet worden ontraden.

Waarschuwing:
Niet toepassen bij kinderen onder de 2 jaar!

Bijwerkingen:
Van deze crème zijn geen bijwerkingen bekend.

Opmerking:
Niet aanbrengen in de directe omgeving van neus en ogen.

Wijze van gebruik:
Voor het naar bed gaan borst en rug goed inwrijven met een
dunne laag crème. De crème houdt vocht en warmte vast,
waardoor er ter plaatse een betere doorbloeding ontstaat.
Aldus kan het lichaam zich op die plaatsen beter wapenen
tegen infecties.

CRÈME SYMVITA

Samenstelling:
Centella asiatica ø - 4% (Aziatische waternavel)
Symphytum officinale ø - 12% (smeerwortel)
Viola tricolor ø - 4% (driekleurig viooltje)
Crèmebasis - 80%.

Eigenschappen van de bestanddelen:
Centella asiatica ø verbetert de vorming van collageen en ver-
stevigt daardoor de huid.
Symphytum officinale ø werkt samentrekkend en bevordert de

doorbloeding (en daardoor de optimale voeding) van de huid.
Viola tricolor ø wordt van oudsher toegepast ter bevordering
van een zuivere huid.
De crème is hypo-allergeen.

Gebruiken bij:
- rimpels
- kraaienpootjes
- de verzorging van de ouder wordende huid
- samentrekkend litteken

Niet gebruiken bij:
Er zijn geen omstandigheden bekend waarbij het gebruik van
dit middel moet worden ontraden.

Bijwerkingen:
Van dit middel zijn geen bijwerkingen bekend.

Wijze van gebruik:
's Morgens en 's avonds op de huid aanbrengen.

DASLOOKDRUPPELS

Samenstelling:
Allium ursinum ø (daslook).

Eigenschappen van de bestanddelen:
Allium ursinum ø vermindert het cholesterolgehalte, gaat
aderverkalking tegen en verlaagt daardoor de bloeddruk. Het
verbetert de darmflora.

Gebruiken bij:
- slagaderverkalking
- hoge bloeddruk
- te hoog cholesterolgehalte
- opgeblazen gevoel
- darmgassen
- dysbacteriose.

Niet gebruiken bij:
Er zijn geen omstandigheden bekend waarbij het gebruik van
dit middel moet worden ontraden.

Bijwerkingen:
Van dit middel zijn geen bijwerkingen bekend.

Combinatie met andere geneesmiddelen:
U kunt dit geneesmiddel in het algemeen zonder bezwaar
gelijktijdig met andere medicijnen gebruiken.

Gebruik tijdens zwangerschap of borstvoeding:
Dit geneesmiddel kan, voorzover bekend, zonder bezwaar
overeenkomstig de voorgeschreven dosering worden gebruikt.
Het verdient in het algemeen aanbeveling bij gebruik van
geneesmiddelen tijdens de zwangerschap en de periode waarin borstvoeding wordt gegeven, eerst uw arts te raadplegen.

Wijze van gebruik:
Tenzij anders is voorgeschreven, 3x daags 10 druppels vóór de
maaltijd in wat water innemen. In geval van hoge bloeddruk
en slagadervernauwing en -verdikking, 3x daags 20 druppels.

Gebruiksduur:
Indien noodzakelijk kan het middel langdurig worden toegepast. Indien de klachten aanhouden is het verstandig een arts
te raadplegen.

Bewaren:
In dit middel kan enig bezinksel ontstaan. Dit heeft geen nadelige invloed op de geneeskrachtige werking.

DORMEASAN

Samenstelling:
Avena sativa ø - 38% (haver)
Humulus lupulus ø - 9% (hop)
Lupulinum ø = D1 - 1% (hop)

Melissa officinalis ø - 40% (citroenmelisse)
Passiflora incarnata ø - 10% (vleeskleurige passiebloem)
Valeriana officinalis ø = D1 - 2% (valeriaan).

Eigenschappen van de bestanddelen:
Avena sativa ø versterkt het zenuwstelsel, kalmeert en
ontspant; verlengt de slaaptijd.
Humulus lupulus ø kalmeert en werkt slaapbevorderend.
Lupulinum ø = D1 kalmeert en werkt slaapbevorderend.
Melissa officinalis ø kalmeert en werkt krampopheffend.
Passiflora incarnata ø kalmeert, ontspant en werkt slaapbevor-
derend.
Valeriana officinalis ø = D1 ontspant, werkt kalmerend op het
centrale zenuwstelsel en vergemakkelijkt het in slaap komen.

Gebruiken bij:
- slapeloosheid.

Niet gebruiken bij:
Er zijn geen omstandigheden bekend waarbij het gebruik van
dit middel moet worden ontraden.

Bijwerkingen:
Van dit middel zijn geen bijwerkingen bekend.

Combinatie met andere geneesmiddelen:
U kunt dit geneesmiddel in het algemeen zonder bezwaar
gelijktijdig met andere medicijnen gebruiken.

Gebruik tijdens zwangerschap of borstvoeding:
Dit geneesmiddel kan, voorzover bekend, zonder bezwaar
overeenkomstig de voorgeschreven dosering worden gebruikt.
Het verdient in het algemeen aanbeveling bij gebruik van
geneesmiddelen tijdens de zwangerschap en de periode waarin borstvoeding wordt gegeven, eerst uw arts te raadplegen.

Wijze van gebruik:
Tenzij anders is voorgeschreven, na het avondeten 20 druppels
en een half uur voor het naar bed gaan 40 druppels, of: ander-
half uur, één uur en een half uur voor het naar bed gaan 20
druppels in wat water innemen.

Gebruiksduur:
Indien noodzakelijk kan het middel langdurig worden toegepast. Indien de klachten aanhouden is het verstandig een arts te raadplegen.

Bewaren:
In dit middel kan enig bezinksel ontstaan. Dit heeft geen nadelige invloed op de geneeskrachtige werking.

DROSERA D2

Samenstelling:
Drosera rotundifolia D2 (ronde zonnedauw).

Gebruiken bij:
Een homeopathisch geneesmiddel kan doorgaans voor zeer uiteenlopende aandoeningen worden aanbevolen. Dit middel wordt echter het meest toegepast bij:
- hoesten.

De hierna volgende opsomming van kenmerken waarbij dit middel vooral werkzaam is, is beperkt. Genoemd zijn slechts de volgende, veel voorkomende kenmerken:
- krampachtige, verstikkende hoest, met soms het braken van
- taai slijm
- kinderen zijn vaak onrustig en angstig
- verergering 's nachts en tijdens het liggen
- rauwe, droge keel met heesheid
- de hoestaanvallen volgen elkaar snel op.

Niet gebruiken:
Er zijn geen omstandigheden bekend waarbij het gebruik van dit middel moet worden ontraden.

Bijwerkingen:
Van dit middel zijn geen bijwerkingen bekend.

Combinatie met andere geneesmiddelen:
U kunt dit geneesmiddel in het algemeen zonder bezwaar gelijktijdig met andere medicijnen gebruiken.

Gebruik tijdens zwangerschap of borstvoeding:
Dit geneesmiddel kan, voorzover bekend, zonder bezwaar overeenkomstig de voorgeschreven dosering worden gebruikt. Het verdient in het algemeen aanbeveling bij gebruik van geneesmiddelen tijdens de zwangerschap en de periode waarin borstvoeding wordt gegeven, eerst uw arts te raadplegen.

Wijze van gebruik:
Tenzij anders is voorgeschreven, 3x daags 5-10 druppels vóór de maaltijd in wat water innemen.

Gebruiksduur:
Indien noodzakelijk kan het middel langdurig worden toegepast. Indien de klachten aanhouden is het verstandig een arts te raadplegen.

DROSERA COMPLEX

Samenstelling:
Cephaelis ipecacuanha ø = D1 - 0,5% (braakwortel)
Dactylopius coccus ø = D1 - 3,0% (cochenilleluis)
Drosera ø - 10,0% (ronde zonnedauw)
Eryngium campestre ø - 1,5% (wilde kruisdistel)
Hedera helix ø - 50% (klimop)
Thymus vulgaris ø - 35,0% (echte tijm).

Eigenschappen van de bestanddelen:
Cephaelis ipecacuanha ø = D1 maakt slijm vloeibaar en vergemakkelijkt het ophoesten.
Dactylopius coccus ø = D1 vindt van oudsher toepassing bij kinkhoest en krampachtige hoest.
Drosera ø werkt krampopheffend en bevordert het ophoesten van slijm.
Eryngium campestre ø wordt o.a. toegepast bij bronchiale klachten. Hedera helix ø vergemakkelijkt het vervloeien en het ophoesten van slijm en werkt krampopheffend en kalmerend.
Thymus vulgaris ø bevordert het ophoesten van slijm, werkt krampopheffend en hoeststillend.

Gebruiken bij:
- alle vormen van hoest
- acute en chronische bronchitis

Niet gebruiken:
Er zijn geen omstandigheden bekend waarbij het gebruik van dit middel moet worden ontraden.

Bijwerkingen:
Van dit middel zijn geen bijwerkingen bekend.

Combinatie met andere geneesmiddelen:
U kunt dit geneesmiddel in het algemeen zonder bezwaar gelijktijdig met andere medicijnen gebruiken.

Gebruik tijdens zwangerschap of borstvoeding:
Dit geneesmiddel kan, voorzover bekend, zonder bezwaar overeenkomstig de voorgeschreven dosering worden gebruikt. Het verdient in het algemeen aanbeveling bij gebruik van geneesmiddelen tijdens de zwangerschap en de periode waarin borstvoeding wordt gegeven, eerst uw arts te raadplegen.

Wijze van gebruik:
Tenzij anders is voorgeschreven, 3x daags 10-15 druppels vóór de maaltijd in wat water innemen.

Gebruiksduur:
Indien noodzakelijk kan het middel langdurig worden toegepast. Indien de klachten aanhouden is het verstandig een arts te raadplegen.

Bewaren:
In dit middel kan enig bezinksel ontstaan. Dit heeft geen nadelige invloed op de geneeskrachtige werking.

DROSINULASIROOP

Samenstelling:
Cephaelis ipecacuanha ø = D1 - 0,55% (braakwortel)
Dactylopius coccus ø = D1 - 0,05% (cochenilleluis)

Drosera ø - 2,10% (ronde zonnedauw)
Hedera helix ø - 0,55% (klimop)
Inula helenium ø - 2,10% (Griekse alant)
Siroopbasis.

Eigenschappen van de bestanddelen:
Cephaelis ipecacuanha ø = D1 bevordert o.a. het vervloeien en
het ophoesten van slijm en werkt krampopheffend op de luchtwegen.
Dactylopius coccus ø = D1 vindt van oudsher toepassing bij
kinkhoest.
Drosera ø werkt krampopheffend en hoeststillend en bevordert
het ophoesten van slijm.
Hedera helix ø vergemakkelijkt het vervloeien en het ophoesten van slijm en werkt krampopheffend en kalmerend.
Inula helenium ø heeft o.a. antibiotische eigenschappen en
vergemakkelijkt het ophoesten van slijm; werkt ontspannend
op de bronchiën.
Picea abies extr. werkt verzachtend, ontstekingremmend,
slijmvliesbeschermend en bevordert het ophoesten van slijm.
De siroopbasis bevat perenconcentraat, ruwe rietsuiker en
koudgeslingerde honing.

Gebruiken bij:
- hoest, vooral als er sprake is van hardnekkig slijm
- acute en chronische bronchitis.

Niet gebruiken bij:
Er zijn geen omstandigheden bekend waarbij het gebruik van
dit middel moet worden ontraden.

Waarschuwing!
Dit product bevat suiker: suikerpatiënten dienen hier rekening
mee te houden (1 dessertlepel à ± 8 ml bevat ca. 165 kJ).

Bijwerkingen:
Van dit middel zijn geen bijwerkingen bekend.

Combinatie met andere geneesmiddelen:
U kunt dit geneesmiddel in het algemeen zonder bezwaar
gelijktijdig met andere medicijnen gebruiken.

Gebruik tijdens zwangerschap of borstvoeding:
Dit geneesmiddel kan, voorzover bekend, zonder bezwaar
overeenkomstig de voorgeschreven dosering worden gebruikt.
Het verdient in het algemeen aanbeveling bij gebruik van
geneesmiddelen tijdens de zwangerschap en de periode waarin borstvoeding wordt gegeven, eerst uw arts te raadplegen.

Wijze van gebruik:
Tenzij anders is voorgeschreven, meerdere malen per dag 1
dessertlepel in wat warm water innemen.

Gebruiksduur:
Indien noodzakelijk kan het middel langdurig worden toegepast. Indien de klachten aanhouden is het verstandig een arts
te raadplegen.

ECHINAFORCE

Samenstelling:
Echinacea purpurea ø [herba en radix] (rode zonnehoed).

Eigenschappen van de bestanddelen:
Echinacea purpurea ø (herba en radix) verhoogt de lichaamsweerstand tegen bacteriële èn virale infecties, bevordert de
activiteit van de witte bloedcellen, voorkomt dat infecties zich
uitbreiden en stimuleert het lymfesysteem. Bij uitwendig
gebruik heeft het antiseptische en wondhelende eigenschappen.

Gebruiken bij:
De behandeling en het voorkomen van:
- verminderde weerstand en de gevolgen daarvan, zoals
  griep en verkoudheid
- acute en chronische infecties en ontstekingen

Niet gebruiken bij:
Er zijn geen omstandigheden bekend waarbij het gebruik van
dit middel moet worden ontraden.

Bijwerkingen:
Van dit middel zijn geen bijwerkingen bekend.

Combinatie met andere geneesmiddelen:
U kunt dit geneesmiddel in het algemeen zonder bezwaar gelijktijdig met andere medicijnen gebruiken.

Gebruik tijdens zwangerschap of borstvoeding:
Dit geneesmiddel kan, voorzover bekend, zonder bezwaar over-eenkomstig de voorgeschreven dosering worden gebruikt.
Het verdient in het algemeen aanbeveling bij gebruik van geneesmiddelen tijdens de zwangerschap en de periode waarin borstvoeding wordt gegeven, eerst uw arts te raadplegen.

Wijze van gebruik:
Inwendig: tenzij anders is voorgeschreven, 2-5x daags 20 druppels in wat water innemen.
Uitwendig: in geval van fijt gebruiken als kompres of deppen met een prop watten.
Preventief: 2x daags 20 druppels.
Bij acute klachten: 5x daags 20 druppels.
Bij chronische of steeds terugkerende klachten: de eerste vijf dagen 20 ml per dag in een glas niet- bruisend bronwater, ver-deeld over de dag opdrinken.

6e dag: 3x daags 60 druppels
7e dag: 3x daags 50 druppels
8e dag: 3x daags 40 druppels
9e dag: 3x daags 30 druppels
10e dag: 3x daags 20 druppels
11e dag: 3x daags 10 druppels

In geval van tandvleesontsteking:
- enkele malen per dag het tandvlees inwrijven met enkele
  druppels Echinaforce.

In geval van mondslijmvliesontsteking:
- de pijnlijke plaatsen aanstippen.

In geval van wondbehandeling:
- enkele druppels op de wond of als kompres.

Gebruiksduur:
Indien noodzakelijk kan het middel langdurig worden toegepast. Indien de klachten aanhouden is het verstandig een arts te raadplegen.

Bewaren:
In dit middel kan enig bezinksel ontstaan. Dit heeft geen nadelige invloed op de geneeskrachtige werking.

ECHINAFORCE tabletten

Samenstelling:
1 tablet bevat de werkzame bestanddelen van 10 druppels Echinaforce. Samenstelling Echinaforce (druppels):
Echinacea purpurea ø [herba en radix] (rode zonnehoed).

Eigenschappen van de bestanddelen:
Echinacea purpurea ø (herba en radix) verhoogt de lichaamsweerstand tegen bacteriële èn virale infecties, bevordert de activiteit van de witte bloedcellen, voorkomt dat infecties zich uitbreiden en stimuleert het lymfesysteem.

Gebruiken bij:
De behandeling en het voorkomen van:
verminderde weerstand en de gevolgen daarvan, zoals griep en verkoudheid
acute en chronische infecties en ontstekingen.

Niet gebruiken bij:
Er zijn geen omstandigheden bekend waarbij het gebruik van dit middel moet worden ontraden.

Bijwerkingen:
Van dit middel zijn geen bijwerkingen bekend.

Combinatie met andere geneesmiddelen:
U kunt dit geneesmiddel in het algemeen zonder bezwaar gelijktijdig met andere medicijnen gebruiken.

Gebruik tijdens zwangerschap of borstvoeding:
Dit geneesmiddel kan, voorzover bekend, zonder bezwaar overeenkomstig de voorgeschreven dosering worden gebruikt.
Het verdient in het algemeen aanbeveling bij gebruik van
geneesmiddelen tijdens de zwangerschap en de periode waarin
borstvoeding wordt gegeven, eerst uw arts te raadplegen.

Wijze van gebruik:
Tenzij anders is voorgeschreven, 3x daags 1-2 tabletten vóór
de maaltijd met wat water innemen.
Preventief: 2x daags 2 tabletten.
Bij acute klachten: 5x daags 2 tabletten.
Bij chronische of steeds terugkerende infecties: de eerste vijf
dagen 20 ml (het innemen van de overeenkomstige hoeveelheid in de vorm van 80 tabletten is onpraktisch) per dag in een
glas niet- bruisend bronwater, verdeeld over de dag opdrinken.

6e dag: 3x daags 6 tabletten
7e dag: 3x daags 5 tabletten
8e dag: 3x daags 4 tabletten
9e dag: 3x daags 3 tabletten
10e dag: 3x daags 2 tabletten
11e dag: 3x daags 1 tablet.

Gebruiksduur:
Indien noodzakelijk kan het middel langdurig worden toegepast. Indien de klachten aanhouden is het verstandig een arts te
raadplegen.

EDISAN

Samenstelling:
Atropa belladonna D4 - 10% (wolfskers)
Ficus carica gemmae 1D - 65% (vijg)
Marsdenia condurango D4 - 10% (condurango)
Melissa officinalis D1 - 15% (citroenmelisse).

Eigenschappen van de bestanddelen:
Atropa belladonna D4 helpt bij maagkrampen.
Ficus carica gemmae 1D wordt van oudsher toegepast bij
steeds terugkerende maagpijn.
Marsdenia condurango D4 heeft een gunstige invloed op de
spijsvertering en helpt bij zuurbranden en bij maagpijn.
Melissa officinalis D1 heeft kalmerende en kramopheffende
eigenschappen en wordt onder andere toegepast bij
maagklachten als gevolg van nervositeit.

Gebruiken bij:
- incidentele maagpijn
- zuurbranden
- opgeblazen gevoel.

Niet gebruiken bij:
Er zijn geen omstandigheden bekend waarbij het gebruik van
dit middel moet worden ontraden.

Bijwerkingen:
Van dit middel zijn geen bijwerkingen bekend.

Combinatie met andere geneesmiddelen:
U kunt dit geneesmiddel in het algemeen zonder bezwaar
gelijktijdig met andere medicijnen gebruiken.

Gebruik tijdens zwangerschap of borstvoeding:
Dit geneesmiddel kan, voorzover bekend, zonder bezwaar overeenkomstig de voorgeschreven dosering worden gebruikt.
Het verdient in het algemeen aanbeveling bij gebruik van
geneesmiddelen tijdens de zwangerschap en de periode waarin
borstvoeding wordt gegeven, eerst uw arts te raadplegen.

Wijze van gebruik:
Tenzij anders is voorgeschreven, 3x daags 20 druppels vóór de
maaltijd in wat water innemen. Even in de mond houden en
dan doorslikken. Bij acute maagpijn mag tot 5x daags 20
druppels worden ingenomen.
Bij chronische klachten kan de inname na acht weken worden
teruggebracht tot 2x daags 20 druppels.

Gebruiksduur:
Indien noodzakelijk kan dit middel langdurig worden toegepast. Indien de klachten aanhouden is het verstandig een arts te raadplegen.

ELEUTHEROCOCCUS tinctuur

Samenstelling:
Eleutherococcus ø = D1 (taigawortel).

Eigenschappen van de bestanddelen:
Eleutherococcus ø = D1 verbetert het concentratie- en reactievermogen alsmede de fysieke prestaties en vergroot het uithoudingsvermogen. Geeft tijdens rustperiode een sneller herstel van kracht.

Gebruiken bij:
- managerziekte
- overspannenheid
- overwerktheid
- vermoeidheid
- psychosomatische aandoeningen
- stress
- ter verbetering van het prestatievermogen (bijv. bij sport).

Niet gebruiken bij:
Er zijn geen omstandigheden bekend waarbij het gebruik van dit middel moet worden ontraden.

Bijwerkingen:
Van dit middel zijn geen bijwerkingen bekend.

Combinatie met andere geneesmiddelen:
U kunt dit geneesmiddel in het algemeen zonder bezwaar gelijktijdig met andere medicijnen gebruiken.

Gebruik tijdens zwangerschap of borstvoeding:
Dit geneesmiddel kan, voorzover bekend, zonder bezwaar overeenkomstig de voorgeschreven dosering worden gebruikt.

Het verdient in het algemeen aanbeveling bij gebruik van geneesmiddelen tijdens de zwangerschap en de periode waarin borstvoeding wordt gegeven, eerst uw arts te raadplegen.

Wijze van gebruik:
Tenzij anders is voorgeschreven, 3x daags 10-20 druppels vóór de maaltijd in wat water innemen. Het middel bereikt zijn hoogste werkzaamheid, wanneer het enkele weken achtereen wordt gebruikt en moet minstens drie maanden achtereen gebruikt worden.

Gebruiksduur:
Indien noodzakelijk kan het middel langdurig worden toegepast. Indien de klachten aanhouden is het verstandig een arts te raadplegen.

EUPATORIUM COMPLEX

Samenstelling:
Apis mellifica D2 - 0,4% (honingbij)
Bryonia cretica D1 - 1,0% (heggenrank)
Echinacea purpurea ø - 25,0% (rode zonnehoed)
Eupatorium perfoliatum D1 - 1,0% (waterhennep)
Lachesis muta D8 - 2,0% (bosmeester)
Thuja occidentalis D1 - 0,2% (levensboom)
Tropaeolum majus ø - 10,0% (Oost-Indische kers).

Eigenschappen van de bestanddelen:
Apis mellifica D2 helpt o.a. bij ontstekingen aan huid en slijmvliezen, zoals angina.
Bryonia cretica D1 helpt o.a. bij ontstekingen aan de luchtwegen en bij hoesten.
Echinacea purpurea ø verhoogt de weerstand tegen bacteriële en virale infecties.
Eupatorium perfoliatum D1 verbetert de werking van de milt, verhoogt de weerstand en werkt bloedzuiverend.
Lachesis muta D8 helpt o.a. bij infectieziekten, zoals angina.
Thuja occidentalis D1 helpt o.a. bij infectieziekten, vooral aan huid en slijmvliezen.

Tropaeolum majus ø werkt antibiotisch en kan zelfs de groei van tegen antibiotica ongevoelig geworden bacteriën remmen.

Gebruiken bij:
- keelontsteking
- terugkerende infecties als gevolg van verminderde weerstand
- secundaire infecties.

Niet gebruiken bij:
Er zijn geen omstandigheden bekend waarbij het gebruik van dit middel moet worden ontraden.

Bijwerkingen:
Van dit middel zijn geen bijwerkingen bekend.

Waarschuwing!
Bij maagklachten als gevolg van te weinig maagzuur dient het middel met voorzichtigheid te worden gebruikt.

Combinatie met andere geneesmiddelen:
U kunt dit geneesmiddel in het algemeen zonder bezwaar gelijktijdig met andere medicijnen gebruiken.

Gebruik tijdens zwangerschap of borstvoeding:
Dit geneesmiddel kan, voorzover bekend, zonder bezwaar overeenkomstig de voorgeschreven dosering worden gebruikt.
Het verdient in het algemeen aanbeveling bij gebruik van geneesmiddelen tijdens de zwangerschap en de periode waarin borstvoeding wordt gegeven, eerst uw arts te raadplegen.

Wijze van gebruik:
Tenzij anders is voorgeschreven, 3x daags 20-30 druppels vóór de maaltijd in wat water innemen.

Gebruiksduur:
Indien noodzakelijk kan het middel langdurig worden toegepast. Indien de klachten aanhouden is het verstandig een arts te raadplegen.

Bewaren:
In dit middel kan enig bezinksel ontstaan. Dit heeft geen nadelige invloed op de geneeskrachtige werking.

EUPHRASIA COMPLEX

Samenstelling:
Arnica montana ø = D1 - 5% (valkruid)
Chamomilla recutita ø - 30% (echte kamille)
Euphrasia officinalis ø - 50% (stijve ogentroost)
Melissa officinalis ø - 15% (citroenmelisse).

Eigenschappen van de bestanddelen:
Arnica montana ø = D1 werkt o.a. ontstekingremmend en antibiotisch.
Chamomilla recutita ø werkt ontstekingremmend en jeukstillend.
Euphrasia officinalis ø heeft een samentrekkende en pijnstillende werking op de slijmvliezen.
Melissa officinalis ø heeft o.a. antibacteriële en antivirale eigenschappen.

Gebruiken bij:
- brandende of vermoeide ogen
- tranenvloed
- strontje
- ooglidontsteking
- oogbindvliesontsteking.

Niet gebruiken bij:
Overgevoeligheid voor Arnica.

Bijwerkingen:
Van dit middel zijn geen bijwerkingen bekend.

Combinatie met andere geneesmiddelen:
U kunt dit geneesmiddel in het algemeen zonder bezwaar gelijktijdig met andere medicijnen gebruiken.

Gebruik tijdens zwangerschap of borstvoeding:
Dit geneesmiddel kan, voorzover bekend, zonder bezwaar overeenkomstig de voorgeschreven dosering worden gebruikt.
Het verdient in het algemeen aanbeveling bij gebruik van geneesmiddelen tijdens de zwangerschap en de periode waarin borstvoeding wordt gegeven, eerst uw arts te raadplegen.

Wijze van gebruik:
Tenzij anders is voorgeschreven, uitwendig: 1 deel Euphrasia complex verdund met 3 delen gekookt, afgekoeld water als kompres 15 minuten op de gesloten ogen leggen. Of als oogbad met een oplossing van 1 deel Euphrasia complex op 50 delen gekookt en afgekoeld water; spoel hiermee enkele malen per dag de ogen.
Inwendig: 3x daags 20 druppels vóór de maaltijd in wat water innemen.

Gebruiksduur:
Indien noodzakelijk kan het middel langdurig worden toegepast. Indien de klachten aanhouden is het verstandig een arts te raadplegen.

FAMOSAN

Samenstelling:
Ambra D4 - 20% (amber)
Cimicifuga racemosa D6 - 25% (zilverkaars)
Lachesis muta D12 - 10% (bosmeester)
Sanguinaria canadensis D12 - 10% (Canadese bloedwortel)
Sepia D6 - 25% (inkt v.d. inktvis)
Zincum metallicum D8 - 10% (zink).

Eigenschappen van de bestanddelen:
Ambra D4 helpt o.a. bij neerslachtigheid, prikkelbaarheid en nerveuze uitputting.
Cimicifuga racemosa D6 helpt o.a. bij klachten die in relatie met de overgang zijn ontstaan, zoals reumatische klachten.
Lachesis muta D12 helpt o.a. bij overgangsklachten in het algemeen.

Sanguinaria canadensis D12 helpt o.a. bij opvliegers en een brandend gevoel aan handen en voeten.
Sepia D6 helpt o.a. bij neerslachtigheid, opvliegers, hoofdpijn, witte vloed, onderbuikkrampen en bij koude voeten met warme handen en hoofd.
Zincum metallicum D8 helpt o.a. bij zwaktegevoel, hoofdpijn, krampen in de onderbuik en benen die moeilijk zijn stil te houden.

Gebruiken bij:
Overgangsklachten zoals:
- opvliegers
- hoofdpijn
- onaangename lichaamsgeur
- neerslachtigheid.

Het middel reguleert de menstruatie aan het begin van de overgang.

Niet gebruiken bij:
Bij vrouwen bij wie de baarmoeder en beide eierstokken verwijderd zijn, heeft het middel weinig tot geen effect.

Bijwerkingen:
Van dit middel zijn geen bijwerkingen bekend.

Combinatie met andere geneesmiddelen:
U kunt dit geneesmiddel in het algemeen zonder bezwaar gelijktijdig met andere medicijnen gebruiken.

Gebruik tijdens zwangerschap:
Dit geneesmiddel heeft, voorzover bekend, geen nadelige gevolgen wanneer het overeenkomstig de voorgeschreven dosering tijdens de zwangerschap wordt gebruikt. (In een enkel geval kan dit gebeurd zijn omdat men het uitblijven van de menstruatie ten onrechte aanzag voor het begin van de overgang.)

Wijze van gebruik:
Tenzij anders is voorgeschreven, 3x daags 20 druppels vóór de

maaltijd in wat water innemen. Het middel bereikt zijn hoogste werkzaamheid wanneer het enkele weken achtereen wordt
gebruikt.

Gebruiksduur:
Indien noodzakelijk kan het middel langdurig worden toegepast. Indien de klachten aanhouden is het verstandig een arts
te raadplegen.

FAMOSAN tabletten

Samenstelling:
Ambra D4 - 19,3% (amber)
Cimicifuga racemosa D6 - 24,1% (zilverkaars)
Lachesis muta D12 - 9,6% (bosmeester)
Sanguinaria canadensis D12 - 12,9% (Canadese bloedwortel)
Sepia D6 - 24,1% (inkt v.d. inktvis)
Zincum metallicum D8 - 9,6% (zink).

Eigenschappen van de bestanddelen:
Ambra D4 helpt o.a. bij neerslachtigheid, prikkelbaarheid en
nerveuze uitputting.
Cimicifuga racemosa D6 helpt o.a. bij klachten die in relatie
met de overgang zijn ontstaan, zoals reumatische klachten.
Lachesis muta D12 helpt o.a. bij overgangsklachten in het
algemeen.
Sanguinaria canadensis D12 helpt o.a. bij opvliegers en een
brandend gevoel aan handen en voeten.
Sepia D6 helpt o.a. bij neerslachtigheid, opvliegers, hoofdpijn,
witte vloed, onderbuikkrampen en bij koude voeten met
warme handen en hoofd.
Zincum metallicum D8 helpt o.a. bij zwaktegevoel, hoofdpijn,
krampen in de onderbuik en benen die moeilijk zijn stil te
houden.

Gebruiken bij:
Overgangsklachten zoals:
- opvliegers
- hoofdpijn

- onaangename lichaamsgeur
- neerslachtigheid.

Het middel reguleert de menstruatie aan het begin van de overgang.

Niet gebruiken bij:
Bij vrouwen waarbij de baarmoeder en beide eierstokken verwijderd zijn, heeft het middel weinig tot geen effect.

Bijwerkingen:
Van dit middel zijn geen bijwerkingen bekend.

Combinatie met andere geneesmiddelen:
U kunt dit geneesmiddel in het algemeen zonder bezwaar gelijktijdig met andere medicijnen gebruiken.

Gebruik tijdens zwangerschap of borstvoeding:
Dit geneesmiddel heeft, voorzover bekend, geen nadelige gevolgen wanneer het overeenkomstig de voorgeschreven dosering tijdens de zwangerschap werd gebruikt. (In een enkel geval kan dit gebeurd zijn omdat men het uitblijven van de menstruatie ten onrechte aanzag voor het begin van de overgang.)

Wijze van gebruik:
Tenzij anders is voorgeschreven, 3x daags 2 tabletten vóór de maaltijd innemen. Het middel bereikt zijn hoogste werkzaamheid wanneer het enkele weken achtereen wordt gebruikt.

Gebruiksduur:
Indien noodzakelijk kan het middel langdurig worden toegepast. Indien de klachten aanhouden is het verstandig een arts te raadplegen.

FERRUM PHOSPHORICUM D6

Samenstelling:
Ferrum phosphoricum D6 (ijzerfosfaat).

Gebruiken bij:

Een homeopathisch geneesmiddel kan doorgaans voor zeer uiteenlopende aandoeningen worden aanbevolen. Dit middel wordt echter het meest toegepast bij:
- bleekheid en zwakte door bloedarmoede
- acute middenoorontsteking
- griep
- koorts
- artritis
- reconvalescentie (herstel na ziekte)
- matige koorts met name bij luchtweginfecties.

De hierna volgende opsomming van kenmerken waarbij dit middel vooral werkzaam is, is beperkt. Genoemd zijn slechts de volgende, veel voorkomende kenmerken:

In geval van bloedarmoede:
- last van spieren en gewrichten
- rechtszijdigheid van de symptomen
- neiging tot bloedingen, zoals een bloedneus
  (vooral 's morgens).

In geval van acute middenoorontsteking:
- scherpe, stekende oorpijn
- bonzend, kloppend gevoel
- trommelvlies is rood gekleurd
- buis van Eustachius is ontstoken
- patiënt voelt zich slechter door bewegen,
  aanraken en 's nachts
- patiënt voelt zich beter door koude kompressen.

In geval van griep en koorts:
- koorts die geleidelijk opkomt
- transpiratie
- geen dorst
- patiënt voelt zich slechter door bewegen,
  aanraken en 's nachts
- patiënt voelt zich beter door koude kompressen
  (soms) hevige pijn (oorontsteking).

In geval van artritis:
- pijn doet zich voor in de rechterschouder, straalt uit naar de rechterarm en wordt erger bij aanraking.

In geval van reconvalescentie:
- last van spieren en gewrichten
- rechtszijdigheid van de symptomen
- patiënt voelt zich slechter door bewegen, aanraken en 's nachts
- neiging tot bloedingen, zoals een bloedneus (vooral 's morgens).

Niet gebruiken bij:
Er zijn geen omstandigheden bekend waarbij het gebruik van dit middel moet worden ontraden.

Bijwerkingen:
Van dit middel zijn geen bijwerkingen bekend.

Combinatie met andere geneesmiddelen:
U kunt dit geneesmiddel in het algemeen zonder bezwaar gelijktijdig met andere medicijnen gebruiken.

Gebruik tijdens zwangerschap of borstvoeding:
Dit geneesmiddel kan, voorzover bekend, zonder bezwaar overeenkomstig de voorgeschreven dosering worden gebruikt. Het verdient in het algemeen aanbeveling bij gebruik van geneesmiddelen tijdens de zwangerschap en de periode waarin borstvoeding wordt gegeven, eerst uw arts te raadplegen.

Wijze van gebruik:
Tenzij anders is voorgeschreven, 3x daags 2 tabletten vóór de maaltijd in de mond uiteen laten vallen.

Gebruiksduur:
Indien noodzakelijk kan het middel langdurig worden toegepast. Indien de klachten aanhouden is het verstandig een arts te raadplegen.

FERRUM PHOSPHORICUM D12

Samenstelling:
Ferrum phosphoricum D12 (ijzerfosfaat).

Gebruiken bij:
Een homeopathisch geneesmiddel kan doorgaans voor zeer
uiteenlopende aandoeningen worden aanbevolen.
Dit middel wordt echter het meest toegepast bij:
- bleekheid en zwakte door bloedarmoede
- acute middenoorontsteking
- griep
- koorts
- reconvalescentie (herstel na ziekte)
- matige koorts met name bij luchtweginfecties.

De hierna volgende opsomming van kenmerken waarbij dit
middel vooral werkzaam is, is beperkt. Genoemd zijn slechts
de volgende, veel voorkomende kenmerken:

In geval van bloedarmoede:
- last van spieren en gewrichten
- rechtszijdigheid van de symptomen
- neiging tot bloedingen, zoals een bloedneus
  (vooral 's morgens).

In geval van acute middenoorontsteking:
- scherpe, stekende oorpijn
- bonzend, kloppend gevoel
- trommelvlies is rood gekleurd
- buis van Eustachius is ontstoken
- patiënt voelt zich slechter door bewegen, aanraken
  en 's nachts
- patiënt voelt zich beter door koude kompressen.

In geval van griep en koorts:
- koorts die geleidelijk opkomt
- transpiratie
- geen dorst
- patiënt voelt zich slechter door bewegen, aanraken en 's nachts

- patiënt voelt zich beter door koude kompressen
  (soms) hevige pijn (oorontsteking).

In geval van reconvalescentie:
- last van spieren en gewrichten
- rechtszijdigheid van de symptomen
- patiënt voelt zich slechter door bewegen,
- aanraken en 's nachts
- neiging tot bloedingen, zoals een bloedneus
  (vooral 's morgens).

Niet gebruiken bij:
Er zijn geen omstandigheden bekend waarbij het gebruik van
dit middel moet worden ontraden.

Bijwerkingen:
Van dit middel zijn geen bijwerkingen bekend.

Combinatie met andere geneesmiddelen:
U kunt dit geneesmiddel in het algemeen zonder bezwaar
gelijktijdig met andere medicijnen gebruiken.

Gebruik tijdens zwangerschap of borstvoeding:
Dit geneesmiddel kan, voorzover bekend, zonder bezwaar overeenkomstig de voorgeschreven dosering worden gebruikt.
Het verdient in het algemeen aanbeveling bij gebruik van
geneesmiddelen tijdens de zwangerschap en de periode waarin borstvoeding wordt gegeven, eerst uw arts te raadplegen.

Wijze van gebruik:
Tenzij anders is voorgeschreven, 3x daags 2 tabletten vóór de
maaltijd in de mond uiteen laten vallen.

Gebruiksduur:
Indien noodzakelijk kan het middel langdurig worden toegepast. Indien de klachten aanhouden is het verstandig een arts
te raadplegen.

FUCUS VESICULOSUS tinctuur

Samenstelling:
Fucus vesiculosus ø = D1 (blaaswier).
Bevat per 10 druppels maximaal 0,035 mg jodium.

Eigenschappen van de bestanddelen:
Fucus vesiculosus ø = D1 verbetert o.a. de werking van de schildklier.

Gebruiken bij:
- te traag werkende schildklier
- overgewicht als gevolg van een te traag werkende schildklier.

Niet gebruiken bij:
Er zijn geen omstandigheden bekend waarbij het gebruik van dit middel moet worden ontraden.

Bijwerkingen:
Van dit middel zijn geen bijwerkingen bekend.

Combinatie met andere geneesmiddelen:
U kunt dit geneesmiddel in het algemeen zonder bezwaar gelijktijdig met andere medicijnen gebruiken.

Gebruik tijdens zwangerschap of borstvoeding:
Dit geneesmiddel kan, voorzover bekend, zonder bezwaar over-eenkomstig de voorgeschreven dosering worden gebruikt.
Het verdient in het algemeen aanbeveling bij gebruik van geneesmiddelen tijdens de zwangerschap en de periode waar-in borstvoeding wordt gegeven, eerst uw arts te raadplegen.

Wijze van gebruik:
Tenzij anders is voorgeschreven, 3x daags 10 druppels vóór de maaltijd in wat water innemen.

Gebruiksduur:
Indien noodzakelijk kan het middel langdurig worden toege-past. Indien de klachten aanhouden is het verstandig een arts te raadplegen.

Bewaren:
In dit middel kan enig bezinksel ontstaan. Dit heeft geen nadelige invloed op de geneeskrachtige werking.

GALEOPSIS tinctuur

Samenstelling:
Galeopsis ochroleuca ø (bleekgele hennepnetel).

Eigenschappen van de bestanddelen:
Galeopsis ochroleuca ø gaat bij luchtwegaandoeningen
de achteruitgang van het longweefsel tegen.

Gebruiken bij:
- acute en chronische bronchitis
- emfyseem

Niet gebruiken bij:
Er zijn geen omstandigheden bekend waarbij het gebruik van
dit middel moet worden ontraden.

Bijwerkingen:
Van dit middel zijn geen bijwerkingen bekend.

Combinatie met andere geneesmiddelen:
U kunt dit geneesmiddel in het algemeen zonder bezwaar
gelijktijdig met andere medicijnen gebruiken.

Gebruik tijdens zwangerschap of borstvoeding:
Dit geneesmiddel kan, voorzover bekend, zonder bezwaar overeenkomstig de voorgeschreven dosering worden gebruikt.
Het verdient in het algemeen aanbeveling bij gebruik van
geneesmiddelen tijdens de zwangerschap en de periode waarin
borstvoeding wordt gegeven, eerst uw arts te raadplegen.

Wijze van gebruik:
Tenzij anders is voorgeschreven, 3x daags 10 druppels vóór de
maaltijd in wat water innemen. In geval van emfyseem verdient

het aanbeveling dit middel enkele maanden per jaar te gebruiken om een ernstiger vorm van emfyseem te voorkomen. In geval van broze nagels dient het middel langdurig te worden ingenomen.

Gebruiksduur:
Indien noodzakelijk kan het middel langdurig worden toegepast. Indien de klachten aanhouden is het verstandig een arts te raadplegen.

Bewaren:
In dit middel kan enig bezinksel ontstaan. Dit heeft geen nadelige invloed op de geneeskrachtige werking.

GASTRONOL

Samenstelling:
Aesculus hippocastanum D4 - 19,2% (paardekastanje)
Alumina D8 - 19,2% (aluminium)
Argentum nitricum D4 - 19,2% (zilvernitraat)
Bryonia cretica D4 - 9,6% (heggenrank)
Citrullus colocynthis D4 - 9,6% (springkomkommer)
Strychnos nux-vomica D4 - 19,2% (braaknoot).

Eigenschappen van de bestanddelen:
Aesculus hippocastanum D4 helpt o.a. bij maagpijn.
Alumina D8 helpt o.a. bij maagklachten met misselijkheid en zuurbranden.
Argentum nitricum D4 helpt o.a. bij zure oprispingen, maagpijn ('scherp' van karakter) en gasvorming.
Bryonia cretica D4 helpt o.a. bij maagpijn na het eten en een gevoel van een overvolle maag.
Citrullus colocynthis D4 helpt o.a. bij pijn ten gevolge van maagkrampen.
Strychnos nux-vomica D4 helpt o.a. bij misselijkheid, een vol gevoel na de maaltijd en maagpijn/-krampen.

Gebruiken bij:
- maagklachten
- zuurbranden
- een opgeblazen gevoel.

Niet gebruiken bij:
Er zijn geen omstandigheden bekend waarbij het gebruik van
dit middel moet worden ontraden.

Bijwerkingen:
Van dit middel zijn geen bijwerkingen bekend.

Combinatie met andere geneesmiddelen:
U kunt dit geneesmiddel in het algemeen zonder bezwaar
gelijktijdig met andere medicijnen gebruiken.

Gebruik tijdens zwangerschap of borstvoeding:
Dit geneesmiddel kan, voorzover bekend, zonder bezwaar overeenkomstig de voorgeschreven dosering worden gebruikt.
Het verdient in het algemeen aanbeveling bij gebruik van
geneesmiddelen tijdens de zwangerschap en de periode waarin
borstvoeding wordt gegeven, eerst uw arts te raadplegen.

Wijze van gebruik:
Tenzij anders is voorgeschreven, 3-5x daags 2-3 tabletten in
de mond uiteen laten vallen.

Gebruiksduur:
Indien noodzakelijk kan het middel langdurig worden toegepast. Indien de klachten aanhouden is het verstandig een arts te
raadplegen.

GELSEMIUM D6

Samenstelling:
Gelsemium sempervirens D6 (wilde jasmijn).

Gebruiken bij:
Een homeopathisch geneesmiddel kan doorgaans voor zeer
uiteenlopende aandoeningen worden aanbevolen. Dit middel
wordt echter het meest toegepast bij:
- examenvrees en plankenkoorts
- neurasthenie
- zenuwpijn

- bof
- urine-incontinentie
- spanningshoofdpijn en gevoel van een zwaar hoofd,
  vaak gepaard gaande met stijfheid van nek-, hals- en
  schouderspieren
- griep met koorts zonder dorst
- de hoofdpijnklachten verminderen door veel te plassen.

De hierna volgende opsomming van kenmerken waarbij dit
middel vooral werkzaam is, is beperkt. Genoemd zijn slechts
de volgende, veel voorkomende kenmerken:

In geval van zenuwpijn:
- aangezichtspijn die aanvalsgewijs komt
- sterke samentrekking van de spieren in de pijnlijke
  gezichtshelft.

In geval van griep met koorts zonder dorst:
- matige koorts
- geen angst of onrust
- algemeen ziektegevoel
- apathische gemoedsstemming
- slaperig
- doffe hoofdpijn die in de nek begint
- bewegen van de ogen verergert de pijn
- patiënt voelt zich beter na lozing van grote hoeveelheden
  heldere urine
- na middernacht worden de klachten erger
- groot verlangen naar warmte.

In geval van urine-incontinentie:
- onvrijwillig urineverlies begonnen tijdens een infectieziekte
  (blaasparalyse)
- slaperige, apathische gemoedsstemming tijdens de
  infectieziekte
- doffe hoofdpijn die in de nek begint
- bewegen van de ogen verergert de pijn.

Niet gebruiken bij:
Er zijn geen omstandigheden bekend waarbij het gebruik van
dit middel moet worden ontraden.

Bijwerkingen:
Van dit middel zijn geen bijwerkingen bekend.

Combinatie met andere geneesmiddelen:
U kunt dit geneesmiddel in het algemeen zonder bezwaar gelijktijdig met andere medicijnen gebruiken.

Gebruik tijdens zwangerschap of borstvoeding:
Dit geneesmiddel kan, voorzover bekend, zonder bezwaar overeenkomstig de voorgeschreven dosering worden gebruikt.
Het verdient in het algemeen aanbeveling bij gebruik van geneesmiddelen tijdens de zwangerschap en de periode waarin borstvoeding wordt gegeven, eerst uw arts te raadplegen.

Wijze van gebruik:
Tenzij anders is voorgeschreven, 3x daags 5-10 druppels vóór de maaltijd in wat water innemen.

Gebruiksduur:
Indien noodzakelijk kan het middel langdurig worden toegepast. Indien de klachten aanhouden is het verstandig een arts te raadplegen.

GELSEMIUM COMPLEX

Samenstelling:
Aconitum napellus D1 - 0,1% (blauwe monnikskap)
Atropa belladonna D1 - 0,1% (wolfskers)
Ferrum phosphoricum D6 - 1,0% (ijzerfosfaat)
Ferrum phosphoricum D9 - 0,9% (ijzerfosfaat)
Gelsemium sempervirens D1 - 0,1% (wilde jasmijn).

Eigenschappen van de bestanddelen:
Aconitum napellus D1 helpt o.a. bij acute koorts met droge, hete huid en angst.
Atropa belladonna D1 helpt o.a. bij acute koorts met een droge keel en warm hoofd.
Ferrum phosphoricum D6 en D9 helpen o.a. bij koorts en acute (luchtweg-) infecties.

Gelsemium sempervirens D1 helpt o.a. bij koorts, hoofdpijn en slaperigheid.

Gebruiken bij:
- koorts.

Niet gebruiken bij:
Er zijn geen omstandigheden bekend waarbij het gebruik van dit middel moet worden ontraden.

Bijwerkingen:
Van dit middel zijn geen bijwerkingen bekend.

Combinatie met andere geneesmiddelen:
U kunt dit geneesmiddel in het algemeen zonder bezwaar gelijktijdig met andere medicijnen gebruiken.

Gebruik tijdens zwangerschap of borstvoeding:
Dit geneesmiddel kan, voorzover bekend, zonder bezwaar overeenkomstig de voorgeschreven dosering worden gebruikt.
Het verdient in het algemeen aanbeveling bij gebruik van geneesmiddelen tijdens de zwangerschap en de periode waarin borstvoeding wordt gegeven, eerst uw arts te raadplegen.

Wijze van gebruik:
Tenzij anders is voorgeschreven, 3-5x daags 5-10 druppels vóór de maaltijd in wat water innemen.

Gebruiksduur:
Indien noodzakelijk kan het middel langdurig worden toegepast. Indien de klachten aanhouden is het verstandig een arts te raadplegen.

GERIAFORCE

Samenstelling:
Ginkgo biloba ø (ginkgoboom).

Eigenschappen van de bestanddelen:
Ginkgo biloba (vermindert de 'stroperigheid' (viscositeit) van
het bloed en verbetert daardoor de doorbloeding in de kleine
en middelgrote bloedvaten, vooral in de hersenen, en heeft een
gunstig effect op de vaatwand.

Gebruiken bij:
- vergeetachtigheid
- concentratiestoornissen
- duizeligheid
- winterhanden en -voeten
- (ouderdoms)diabetes
- hoge bloeddruk
- bloedsomloopstoornissen
- doorliggen
- oorsuizingen
- open been.

Niet gebruiken bij:
Er zijn geen omstandigheden bekend waarbij het gebruik van
dit middel moet worden ontraden.

Bijwerkingen:
Van dit middel zijn geen bijwerkingen bekend.

Combinatie met andere geneesmiddelen:
U kunt dit geneesmiddel in het algemeen zonder bezwaar
gelijktijdig met andere medicijnen gebruiken.

Gebruik tijdens zwangerschap of borstvoeding:
Dit geneesmiddel kan, voorzover bekend, zonder bezwaar overeenkomstig de voorgeschreven dosering worden gebruikt.
Het verdient in het algemeen aanbeveling bij gebruik van
geneesmiddelen tijdens de zwangerschap en de periode waarin
borstvoeding wordt gegeven, eerst uw arts te raadplegen.
Wijze van gebruik:
Tenzij anders is voorgeschreven, 3x daags 15-20 druppels
vóór de maaltijd in wat water innemen.

Het middel bereikt zijn hoogste werkzaamheid wanneer het langere tijd achtereen wordt gebruikt.

Gebruiksduur:
Indien noodzakelijk kan het middel langdurig worden toegepast. Indien de klachten aanhouden is het verstandig een arts te raadplegen.

Bewaren:
In dit middel kan enig bezinksel ontstaan. Dit heeft geen nadelige invloed op de geneeskrachtige werking.

GERIAFORCE tabletten

Samenstelling:
1 tablet bevat de werkzame bestanddelen van 10 druppels Geriaforce ø. Samenstelling Geriaforce: Ginkgo biloba ø (ginkgoboom).

Eigenschappen van de bestanddelen:
Ginkgo biloba ø vermindert de 'stroperigheid' (viscositeit) van het bloed en verbetert daardoor de doorbloeding in de kleine en middelgrote bloedvaten, vooral in de hersenen, en heeft een gunstig effect op de vaatwand.

Gebruiken bij:
- vergeetachtigheid
- concentratiestoornissen
- duizeligheid
- winterhanden en -voeten
- (ouderdoms)diabetes
- hoge bloeddruk
- bloedsomloopstoornissen
- doorliggen
- oorsuizingen
- open been.

Niet gebruiken bij:
Er zijn geen omstandigheden bekend waarbij het gebruik van dit middel moet worden ontraden.

Bijwerkingen:
Van dit middel zijn geen bijwerkingen bekend.

Combinatie met andere geneesmiddelen:
U kunt dit geneesmiddel in het algemeen zonder bezwaar gelijktijdig met andere medicijnen gebruiken.

Gebruik tijdens zwangerschap of borstvoeding:
Dit geneesmiddel kan, voorzover bekend, zonder bezwaar overeenkomstig de voorgeschreven dosering worden gebruikt.
Het verdient in het algemeen aanbeveling bij gebruik van geneesmiddelen tijdens de zwangerschap en de periode waarin borstvoeding wordt gegeven, eerst uw arts te raadplegen.

Wijze van gebruik:
Tenzij anders is voorgeschreven, 3x daags 2 tabletten vóór de maaltijd innemen.

Het middel bereikt zijn hoogste werkzaamheid wanneer het langere tijd achtereen wordt gebruikt.

Gebruiksduur:
Indien noodzakelijk kan het middel langdurig worden toegepast. Indien de klachten aanhouden is het verstandig een arts te raadplegen.

GINSENG tinctuur

Samenstelling:
Panax ginseng ø = D1 (ginseng).

Eigenschappen van de bestanddelen:
Panax ginseng ø = D1 verhoogt de weerstand tegen stress. Het verbetert de fysieke prestaties en het concentratie- en reactievermogen.

Gebruiken bij:
- algemene vermoeidheid
- stress
- ter verbetering van het prestatievermogen.

Niet gebruiken bij:
Hoge bloeddruk.

Bijwerkingen:
Bij langdurig gebruik kan hoge bloeddruk optreden, vooral bij mensen met een neiging hiertoe.

Combinatie met andere geneesmiddelen:
U kunt dit geneesmiddel in het algemeen zonder bezwaar gelijktijdig met andere medicijnen gebruiken.

Gebruik tijdens zwangerschap of borstvoeding:
Dit geneesmiddel kan, voorzover bekend, zonder bezwaar overeenkomstig de voorgeschreven dosering worden gebruikt.
Het verdient in het algemeen aanbeveling bij gebruik van geneesmiddelen tijdens de zwangerschap en de periode waarin borstvoeding wordt gegeven, eerst uw arts te raadplegen.

Wijze van gebruik:
Tenzij anders is voorgeschreven, 3x daags 15 druppels in wat water innemen.

Gebruiksduur:
Indien noodzakelijk kan het middel langdurig worden toegepast. Indien de klachten aanhouden is het verstandig een arts te raadplegen.

Bewaren:
In dit middel kan enig bezinksel ontstaan. Dit heeft geen nadelige invloed op de geneeskrachtige werking.

GINSENG COMPLEX

Samenstelling:
Avena sativa ø - 90% (haver)
Panax ginseng ø = D1 - 10% (ginseng).

Eigenschappen van de bestanddelen:
Avena sativa ø versterkt het zenuwstelsel, kalmeert en ontspant; verlengt de slaaptijd.

114

Panax ginseng ø = D1 verhoogt de weerstand tegen stress. Het verbetert de fysieke prestaties en het concentratie- en reactievermogen.

Gebruiken bij:
- nervositeit gepaard gaande met vermoeidheid en
- krachteloosheid
- overspannenheid gepaard gaande met vermoeidheid en
  krachteloosheid
- concentratiestoornissen.

Niet gebruiken bij:
Er zijn geen omstandigheden bekend waarbij het gebruik van dit middel moet worden ontraden.

Bijwerkingen:
Van dit middel zijn geen bijwerkingen bekend.

Combinatie met andere geneesmiddelen:
U kunt dit geneesmiddel in het algemeen zonder bezwaar gelijktijdig met andere medicijnen gebruiken.

Gebruik tijdens zwangerschap of borstvoeding:
Dit geneesmiddel kan, voorzover bekend, zonder bezwaar overeenkomstig de voorgeschreven dosering worden gebruikt.
Het verdient in het algemeen aanbeveling bij gebruik van geneesmiddelen tijdens de zwangerschap en de periode waarin borstvoeding wordt gegeven, eerst uw arts te raadplegen.

Wijze van gebruik:
Tenzij anders is voorgeschreven, 3x daags 15 druppels vóór de maaltijd in wat water innemen.

Gebruiksduur:
Indien noodzakelijk kan het middel langdurig worden toegepast. Indien de klachten aanhouden is het verstandig een arts te raadplegen.

Bewaren:
In dit middel kan enig bezinksel ontstaan. Dit heeft geen nadelige invloed op de geneeskrachtige werking.

GUAJACUM D2

Samenstelling:
Guajacum D2 (pokhoutboom).

Gebruiken bij:
Een homeopathisch geneesmiddel kan doorgaans voor zeer uiteenlopende aandoeningen worden aanbevolen. Dit middel wordt echter het meest toegepast bij:
- keelontsteking
- gewrichtspijn in schouders en armen.
- branderige, droge keel.

De hierna volgende opsomming van kenmerken waarbij dit middel vooral werkzaam is, is beperkt. Genoemd zijn slechts de volgende, veel voorkomende kenmerken:

In geval van keelontsteking:
- opgezette rode amandelen
- opvallend rode keelholte
- brandende en stekende keelpijn
- droge keel
- patiënt voelt zich slechter door warmte
- patiënt voelt zich beter door koude kompressen om de keel.

Bij keelpijn met ontstoken amandelen is het verstandig een arts te raadplegen.

In geval van gewrichtspijn in schouders en armen:
- klachten verergeren door warmte, beweging, aanraken en druk.

Niet gebruiken bij:
Er zijn geen omstandigheden bekend waarbij het gebruik van dit middel moet worden ontraden.

Bijwerkingen:
Van dit middel zijn geen bijwerkingen bekend.

Combinatie met andere geneesmiddelen:
U kunt dit geneesmiddel in het algemeen zonder bezwaar gelijktijdig met andere medicijnen gebruiken.

Gebruik tijdens zwangerschap of borstvoeding:
Dit geneesmiddel kan, voorzover bekend, zonder bezwaar overeenkomstig de voorgeschreven dosering worden gebruikt.
Het verdient in het algemeen aanbeveling bij gebruik van geneesmiddelen tijdens de zwangerschap en de periode waarin borstvoeding wordt gegeven, eerst uw arts te raadplegen.

Wijze van gebruik:
Tenzij anders is voorgeschreven, 3x daags 5-10 druppels vóór de maaltijd in wat water innemen. Even in de mond houden en dan doorslikken.

Gebruiksduur:
Indien noodzakelijk kan het middel langdurig worden toegepast. Indien de klachten aanhouden is het verstandig een arts te raadplegen.

GUAJACUM D4

Samenstelling:
Guajacum D4 (pokhoutboom).

Gebruiken bij:
Een homeopathisch geneesmiddel kan doorgaans voor zeer uiteenlopende aandoeningen worden aanbevolen. Dit middel wordt echter het meest toegepast bij:
- keelontsteking
- gewrichtspijn in schouders en armen.

De hierna volgende opsomming van kenmerken waarbij dit middel vooral werkzaam is, is beperkt. Genoemd zijn slechts de volgende, veel voorkomende kenmerken:

In geval van keelontsteking:
- opgezette rode amandelen
- opvallend rode keelholte
- brandende en stekende keelpijn
- droge keel
- patiënt voelt zich slechter door warmte
- patiënt voelt zich beter door koude kompressen om de keel.

Bij keelpijn met ontstoken amandelen is het verstandig een arts te raadplegen.

In geval van gewrichtspijn in schouders en armen:
- klachten verergeren door warmte, beweging, aanraken en druk.

Niet gebruiken bij:
Er zijn geen omstandigheden bekend waarbij het gebruik van dit middel moet worden ontraden.

Bijwerkingen:
Van dit middel zijn geen bijwerkingen bekend.

Combinatie met andere geneesmiddelen:
U kunt dit geneesmiddel in het algemeen zonder bezwaar gelijktijdig met andere medicijnen gebruiken.

Gebruik tijdens zwangerschap of borstvoeding:
Dit geneesmiddel kan, voorzover bekend, zonder bezwaar overeenkomstig de voorgeschreven dosering worden gebruikt.
Het verdient in het algemeen aanbeveling bij gebruik van geneesmiddelen tijdens de zwangerschap en de periode waarin borstvoeding wordt gegeven, eerst uw arts te raadplegen.

Wijze van gebruik:
Tenzij anders is voorgeschreven, 3x daags 5-10 druppels vóór de maaltijd in wat water innemen.

Gebruiksduur:
Indien noodzakelijk kan het middel langdurig worden toegepast. Indien de klachten aanhouden is het verstandig een arts te raadplegen.

GULDENROEDEDRANK

Samenstelling:
Achillea millefolium - 10% (duizendblad)
Betula pendula - 20% (ruwe berk)
Equisetum arvense - 15% (akkerpaardestaart)

Orthosiphonis staminei - 10% (kattesnor)
Polygonum aviculare - 10% (varkensgras)
Solidago virgaurea - 30% (echte guldenroede)
Viola tricolor - 5% (driekleurig viooltje).

Eigenschappen van de bestanddelen:
Achillea millefolium werkt o.a. krampopheffend en
ontstekingremmend.
Betula pendula werkt urinedrijvend.
Equisetum arvense werkt urinedrijvend.
Orthosiphonis staminei heeft urinedrijvende, ontstekingrem-
mende en pijnstillende eigenschappen.
Polygonum aviculare werkt urinedrijvend.
Solidago virgaurea werkt ontstekingremmend bij blaas- en
nierontsteking, remt de bacteriegroei en heeft een urinedrij-
vend effect.
Viola tricolor heeft o.a. een mild urinedrijvende werking.

Gebruiken bij:
- ter bevordering van de nierwerking bij o.a. infectieziekten
  en hoge bloeddruk
- waterzucht (oedeem) als gevolg van een nieraandoening.

Niet gebruiken bij:
Er zijn geen omstandigheden bekend waarbij het gebruik van
dit middel moet worden ontraden.

Bijwerkingen:
Van dit middel zijn geen bijwerkingen bekend.

Combinatie met andere geneesmiddelen:
U kunt dit geneesmiddel in het algemeen zonder bezwaar
gelijktijdig met andere medicijnen gebruiken.

Gebruik tijdens zwangerschap of borstvoeding:
Dit geneesmiddel kan, voorzover bekend, zonder bezwaar overeenkomstig de voorgeschreven dosering worden gebruikt.
Het verdient in het algemeen aanbeveling bij gebruik van
geneesmiddelen tijdens de zwangerschap en de periode waarin
borstvoeding wordt gegeven, eerst uw arts te raadplegen.

Wijze van gebruik:
Tenzij anders is voorgeschreven, 3x daags 1 kopje (1 theelepel
op een kopje kokend water; 10 minuten laten trekken).

HAMAMELISZALF

Samenstelling:
Aqua Hamamelidis C.M.N. - 8,7% (Virginische
toverhazelaar)
Echinacea purpurea ø - 2,8% (rode zonnehoed)
Hypericum perforatum oleum - 4,2% (sint-janskruid)
De zalfbasis bevat wolvet.

Eigenschappen van de bestanddelen:
Aqua Hamamelidis C.M.N. werkt o.a. samentrekkend en antiseptisch.
Echinacea purpurea ø werkt o.a. antiseptisch en voorkomt
infecties.
Hypericum perforatum oleum werkt o.a. ontstekingremmend,
samentrekkend en bevordert de genezing.

Gebruiken bij:
- aambeien (zonder bloedverlies).

Niet gebruiken bij:
Er zijn geen omstandigheden bekend waarbij het gebruik van
dit middel moet worden ontraden.

Bijwerkingen:
Van deze crème zijn geen bijwerkingen bekend.

Wijze van gebruik:
Na de stoelgang de anus met koud water wassen en zorgvuldig
afdrogen, daarna crème aanbrengen.

HARPAGOPHYTUM tinctuur

Samenstelling:
Harpagohpytum procumbens ø = D1 (duivelsklauw).

Eigenschappen van de bestanddelen:
Harpagophytum procumbens ø = D1 heeft een ontstekingremmende en pijnstillende werking.

Gebruiken bij:
- gewrichtsklachten met stijfheid, pijn en zwelling.

Niet gebruiken bij:
Er zijn geen omstandigheden bekend waarbij het gebruik van dit middel moet worden ontraden.

Bijwerkingen:
Van dit middel zijn geen bijwerkingen bekend.

Combinatie met andere geneesmiddelen:
U kunt dit geneesmiddel in het algemeen zonder bezwaar gelijktijdig met andere medicijnen gebruiken.

Gebruik tijdens zwangerschap of borstvoeding:
Dit geneesmiddel kan, voorzover bekend, zonder bezwaar overeenkomstig de voorgeschreven dosering worden gebruikt. Het verdient in het algemeen aanbeveling bij gebruik van geneesmiddelen tijdens de zwangerschap en de periode waarin borstvoeding wordt gegeven, eerst uw arts te raadplegen.

Wijze van gebruik:
Tenzij anders is voorgeschreven, 3x daags 20 druppels vóór de maaltijd in wat water inncmen.

Gebruiksduur:
Indien noodzakelijk kan het middel langdurig worden toegepast. Indien de klachten aanhouden is het verstandig een arts te raadplegen.

Bewaren:
In dit middel kan enig bezinksel ontstaan. Dit heeft geen nadelige invloed op de geneeskrachtige werking.

HEPAR SULFURIS D4

Samenstelling:
Hepar sulfuris D4 (oesterkalk en zwavel).

Gebruiken bij:
Een homeopathisch geneesmiddel kan doorgaans voor
zeer uiteenlopende aandoeningen worden aanbevolen.
Dit middel wordt echter het meest toegepast bij:
- ontstekingen met neiging tot ettervorming
- trage genezing van wonden
- huiduitslag
- fistel
- witte vloed.

De hierna volgende opsomming van kenmerken waarbij
dit middel vooral werkzaam is, is beperkt. Genoemd
zijn slechts de volgende, veel voorkomende kenmerken:
- aanleg voor ontstekingen, abcessen en fistels
- overgevoeligheid voor pijn, koude en aanraking.

In geval van huiduitslag:
- etterige, onwelriekende afscheiding.

In geval van witte vloed:
- etterige geelgroene afscheiding
- grote gevoeligheid voor koude en pijn.

Niet gebruiken bij:
Er zijn geen omstandigheden bekend waarbij het gebruik van
dit middel moet worden ontraden.

Bijwerkingen:
Van dit middel zijn geen bijwerkingen bekend.

Combinatie met andere geneesmiddelen:
U kunt dit geneesmiddel in het algemeen zonder bezwaar
gelijktijdig met andere medicijnen gebruiken.

Gebruik tijdens zwangerschap of borstvoeding:
Dit geneesmiddel kan, voorzover bekend, zonder bezwaar over-

eenkomstig de voorgeschreven dosering worden gebruikt. Het verdient in het algemeen aanbeveling bij gebruik van geneesmiddelen tijdens de zwangerschap en de periode waarin borstvoeding wordt gegeven, eerst uw arts te raadplegen.

Wijze van gebruik:
Tenzij anders is voorgeschreven, 3x daags 2 tabletten vóór de maaltijd in de mond uiteen laten vallen.

Gebruiksduur:
Indien noodzakelijk kan het middel langdurig worden toegepast. Indien de klachten aanhouden is het verstandig een arts te raadplegen.

HYPERICUM TINCTUUR

Samenstelling:
Hypericum perforatum ø (sint-janskruid).

Eigenschappen van de bestanddelen:
Hypericum perforatum ø werkt tegen depressiviteit.
Bovendien heeft de tinctuur een kalmerende werking en een genezende werking bij zenuwbeschadigingen.

Gebruiken bij:
- depressiviteit.
- postnatale depressie
- neerslachtigheid
- pijn in de stuit of het staartbeen.

Opmerking:
De toepassing van dit middel bij ernstige vormen van neerslachtigheid dient onder professioneel medisch toezicht plaats te vinden.

Niet gebruiken bij:
Er zijn geen omstandigheden bekend waarbij het gebruik van dit middel moet worden ontraden.

Bijwerkingen:
Hypericum tinctuur maakt de huid lichtgevoelig. In een enkel geval kan bij intensief en langdurig zonnebaden huiduitslag optreden.

Combinatie met andere geneesmiddelen:
U kunt dit geneesmiddel in het algemeen zonder bezwaar gelijktijdig met andere medicijnen gebruiken.

Gebruik tijdens zwangerschap of borstvoeding:
Dit geneesmiddel kan, voorzover bekend, zonder bezwaar overeenkomstig de voorgeschreven dosering worden gebruikt. Het verdient in het algemeen aanbeveling bij gebruik van geneesmiddelen tijdens de zwangerschap en de periode waarin borstvoeding wordt gegeven, eerst uw arts te raadplegen.

Wijze van gebruik:
Tenzij anders is voorgeschreven, 3x daags 20 druppels vóór de maaltijd in wat water innemen. Het middel bereikt zijn hoogste werkzaamheid wanneer het enkele weken achtereen wordt gebruikt. In geval van pijn in de stuit of het staartbeen gedurende 2 dagen elk uur 10 druppels; daarna de normale dosering van 3x daags 20 druppels.

Gebruiksduur:
Indien noodzakelijk kan het middel langdurig worden toegepast. Indien de klachten aanhouden is het verstandig een arts te raadplegen.

Bewaren:
In dit middel kan enig bezinksel ontstaan. Dit heeft geen nadelige invloed op de geneeskrachtige werking.

HYPERIFORCE FORTE

Samenstelling:
Hypericum perforatum ø (sint-janskruid)
Het gehalte aan hypericine is 330 mcg per tablet.

Eigenschappen van de bestanddelen:
Hypericum perforatum ø werkt tegen neerslachtigheid.
Bovendien heeft dit middel een kalmerende werking.

Gebruiken bij:
- neerslachtigheid.

Opmerking:
De toepassing van dit middel bij ernstige vormen van
neerslachtigheid dient onder professioneel medisch toezicht
plaats te vinden.

Niet gebruiken bij:
Er zijn geen omstandigheden bekend waarbij het gebruik van
dit middel moet worden ontraden.

Bijwerkingen:
Bij overdosering kan lichtgevoeligheid van de huid optreden.

Combinatie met andere geneesmiddelen:
U kunt dit geneesmiddel in het algemeen zonder bezwaar
gelijktijdig met andere medicijnen gebruiken.

Gebruik tijdens zwangerschap of borstvoeding:
Dit geneesmiddel kan, voorzover bekend, zonder bezwaar overeenkomstig de voorgeschreven dosering worden gebruikt.
Het verdient in het algemeen aanbeveling bij gebruik van
geneesmiddelen tijdens de zwangerschap en de periode waarin borstvoeding wordt gegeven, eerst uw arts te raadplegen.

Wijze van gebruik:
Tenzij anders is voorgeschreven, 3x daags 1 tablet vóór de
maaltijd innemen. Het middel bereikt de hoogste werkzaamheid wanneer het enkele weken achtereen wordt gebruikt.

Gebruiksduur:
Indien noodzakelijk kan het middel langdurig worden toegepast. Indien de klachten aanhouden is het verstandig een arts
te raadplegen.

HYPERISAN

Samenstelling:
Achillea millefolium ø - 42% (duizendblad)
Aesculus hippocastanum ø - 30% (paardekastanje)
Arnica montana ø = D1 - 7% (valkruid)
Hypericum perforatum ø - 21% (sint-janskruid).

Eigenschappen van de bestanddelen:
Achillea millefolium ø werkt o.a. krampopheffend en ontstekingremmend.
Aesculus hippocastanum ø heeft een ontstekingremmend en
oedeemremmend effect. Het verbetert de kwaliteit en de functie van de aderen.
Arnica montana ø = D1 verbetert de bloedsomloop.
Hypericum perforatum ø wordt van oudsher toegepast om de
doorbloeding te bevorderen.

Gebruiken bij:
- bloedsomloopstoornissen, zoals winterhanden en -voeten,
  spataderen, aambeien zonder bloedverlies.

Niet gebruiken bij:
Er zijn geen omstandigheden bekend waarbij het gebruik van
dit middel moet worden ontraden.

Bijwerkingen:
Van dit middel zijn geen bijwerkingen bekend.

Combinatie met andere geneesmiddelen:
U kunt dit geneesmiddel in het algemeen zonder bezwaar
gelijktijdig met andere medicijnen gebruiken.

Gebruik tijdens zwangerschap of borstvoeding:
Dit geneesmiddel kan, voorzover bekend, zonder bezwaar overeenkomstig de voorgeschreven dosering worden gebruikt.
Het verdient in het algemeen aanbeveling bij gebruik van
geneesmiddelen tijdens de zwangerschap en de periode waarin borstvoeding wordt gegeven, eerst uw arts te raadplegen.

Wijze van gebruik:
Tenzij anders is voorgeschreven, 3x daags 5-10 druppels vóór de maaltijd in wat water innemen.

Gebruiksduur:
Indien noodzakelijk kan het middel langdurig worden toegepast. Indien de klachten aanhouden is het verstandig een arts te raadplegen.

Bewaren:
In dit middel kan enig bezinksel ontstaan. Dit heeft geen nadelige invloed op de geneeskrachtige werking.

IGNATIA D6

Samenstelling:
Strychnos ignatii D6 (ignatiastruik).

Gebruiken bij:
Een homeopathisch geneesmiddel kan doorgaans voor zeer uiteenlopende aandoeningen worden aanbevolen. Dit middel wordt echter het meest toegepast bij:
- depressiviteit
- nervositeit
- postnatale depressie
- premenstrueel syndroom
- hoofdpijn
- migraine
- maagslijmvliesontsteking
- klachten als gevolg van verdriet.

De hierna volgende opsomming van kenmerken waarbij dit middel vooral werkzaam is, is beperkt. Genoemd zijn slechts de volgende, veel voorkomende kenmerken:

In geval van depressiviteit:
- gevoel een brok in de keel te hebben
- heftige reacties en huilbuien
- in stilte piekeren.

In geval van nervositeit:
- nervositeit als gevolg van tegenslag of verdriet.

In geval van postnatale depressie en premenstrueel syndroom:
- gevoel een brok in de keel te hebben
- patiënte heeft last van huilbuien
- patiënte is wispelturig: afwisselend vrolijk en depressief
- patiënte wordt misselijk van tabaksrook.

In geval van hoofdpijn en migraine:
- voornamelijk linkszijdige hoofdpijn
- gevoel alsof er een spijker in het hoofd wordt geslagen, vooral bij nerveuze vrouwen
- pijn verergert door tabaksrook en koffiedrinken
- pijn wordt minder door warmte en liggen op de linkerzijde
- pijn ontstaat soms na ergernissen.

In geval van maagslijmvliesontsteking:
- hoofdpijn
- patiënt is nerveus en heftig
- leeg gevoel in de maag
- misselijk door geuren en tabaksrook
- misselijk en hongerig tegelijk
- patiënt kan zware maaltijden goed verdragen: deze verdrijven de misselijkheid zelfs.

Niet gebruiken bij:
Er zijn geen omstandigheden bekend waarbij het gebruik van dit middel moet worden ontraden.

Bijwerkingen:
Van dit middel zijn geen bijwerkingen bekend.

Combinatie met andere geneesmiddelen:
U kunt dit geneesmiddel in het algemeen zonder bezwaar gelijktijdig met andere medicijnen gebruiken.

Gebruik tijdens zwangerschap of borstvoeding:
Dit geneesmiddel kan, voorzover bekend, zonder bezwaar overeenkomstig de voorgeschreven dosering worden gebruikt.

Het verdient in het algemeen aanbeveling bij gebruik van geneesmiddelen tijdens de zwangerschap en de periode waarin borstvoeding wordt gegeven, eerst uw arts te raadplegen.

Wijze van gebruik:
Tenzij anders is voorgeschreven, 3x daags 5-10 druppels vóór de maaltijd in wat water innemen.

Gebruiksduur:
Indien noodzakelijk kan het middel langdurig worden toegepast. Indien de klachten aanhouden is het verstandig een arts te raadplegen.

IMPERARTHRITICA

Samenstelling:
Achillea moschata ø - 10% (muskusduizendblad)
Betula pendula ø - 10% (ruwe berk)
Colchicum autumnale D4 - 5% (herfsttijloos)
Equisetum arvense ø - 10% (akkerpaardestaart)
Mentha piperita ø - 5% (pepermunt)
Petasites hybridus ø - 10% (groot hoefblad)
Polygonum aviculare ø - 15% (varkensgras)
Potentilla anserina ø - 10% (zilverschoon)
Solidago virgaurea ø - 15% (echte guldenroede)
Viscum album ø - 10% (maretak).

Eigenschappen van de bestanddelen:
Achillea moschata ø bevordert herstel na ziekte.
Betula pendula ø werkt urinedrijvend.
Colchicum autumnale D4 helpt o.a. tegen pijnen en aanvallen van jicht.
Equisetum arvense ø werkt urinedrijvend.
Mentha piperita ø heeft o.a. een pijnstillende werking.
Petasites hybridus ø werkt pijnstillend.
Polygonum aviculare ø werkt urinedrijvend en wordt van oudsher toegepast bij jicht.
Potentilla anserina ø werkt krampopheffend.
Solidago virgaurea ø heeft een ontstekingsremmende en urine-

drijvende werking.
Viscum album ø wordt van oudsher toegepast tegen o.a. reumatische aandoeningen.

Gebruiken bij:
- jicht.

Niet gebruiken bij:
Er zijn geen omstandigheden bekend waarbij het gebruik van dit middel moet worden ontraden.

Bijwerkingen:
Van dit middel zijn geen bijwerkingen bekend.

Combinatie met andere geneesmiddelen:
U kunt dit geneesmiddel in het algemeen zonder bezwaar gelijktijdig met andere medicijnen gebruiken.

Gebruik tijdens zwangerschap of borstvoeding:
Dit geneesmiddel kan, voorzover bekend, zonder bezwaar overeenkomstig de voorgeschreven dosering worden gebruikt.
Het verdient in het algemeen aanbeveling bij gebruik van geneesmiddelen tijdens de zwangerschap en de periode waarin borstvoeding wordt gegeven, eerst uw arts te raadplegen.

Wijze van gebruik:
Tenzij anders is voorgeschreven, 3x daags 10 druppels vóór de maaltijd in wat water innemen.

Gebruiksduur:
Indien noodzakelijk kan het middel langdurig worden toegepast. Indien de klachten aanhouden is het verstandig een arts te raadplegen.

Bewaren:
In dit middel kan enig bezinksel ontstaan. Dit heeft geen nadelige invloed op de geneeskrachtige werking.

IMPERATORIA tinctuur

Samenstelling:
Peucedanum ostruthium ø (meesterwortel).

Eigenschappen van de bestanddelen:
Peucedanum ostruthium ø heeft sterk slijmoplossende eigenschappen.

Gebruiken bij:
- bronchiale klachten met vastzittend slijm
- eetlustgebrek
- een opgeblazen gevoel.

Niet gebruiken bij:
Er zijn geen omstandigheden bekend waarbij het gebruik van dit middel moet worden ontraden.

Bijwerkingen:
Van dit middel zijn geen bijwerkingen bekend.

Combinatie met andere geneesmiddelen:
U kunt dit geneesmiddel in het algemeen zonder bezwaar gelijktijdig met andere medicijnen gebruiken.

Gebruik tijdens zwangerschap of borstvoeding:
Dit geneesmiddel kan, voorzover bekend, zonder bezwaar overeenkomstig de voorgeschreven dosering worden gebruikt.
Het verdient in het algemeen aanbeveling bij gebruik van geneesmiddelen tijdens de zwangerschap en de periode waarin borstvoeding wordt gegeven, eerst uw arts te raadplegen.

Wijze van gebruik:
Tenzij anders is voorgeschreven, 3x daags 5-10 druppels vóór de maaltijd in wat water innemen.

Gebruiksduur:
Indien noodzakelijk kan het middel langdurig worden toege-

past. Indien de klachten aanhouden is het verstandig een arts te raadplegen.

Bewaren:
In dit middel kan enig bezinksel ontstaan. Dit heeft geen nadelige invloed op de geneeskrachtige werking.

INFLUAFORCE N

Samenstelling:
Corallium rubrum D8 - 20% (rode ruwe koraal)
Echinacea purpurea D4 - 30% (rode zonnehoed)
Eucalyptus globulus ø = D1 - 10% (eucalyptus)
Eupatorium perfoliatum D2 - 10% (waterhennep)
Ferrum phosphoricum D6 - 10% (ijzerfosfaat)
Gelsemium sempervirens D4 - 10% (wilde jasmijn)
Mercurius solubilis Hahnemanni D8 - 10% (kwik).

Eigenschappen van de bestanddelen:
Corallium rubrum D8 helpt o.a. bij krampachtig hoesten en pijn bij diep inademen.
Echinacea purpurea D4 helpt o.a. in korte tijd het afweersysteem te stimuleren.
Eucalyptus globulus ø = D1 werkt antiseptisch en stimuleert het uitdrijven van slijm.
Eupatorium perfoliatum D2 verhoogt de weerstand, werkt bloedzuiverend en helpt bij een 'geradbraakt' gevoel.
Ferrum phosphoricum D6 helpt o.a. bij koorts en luchtweginfecties.
Gelsemium sempervirens D4 helpt o.a. bij griep en koorts met hoofdpijn.
Mercurius solubilis Hahnemanni D8 helpt o.a. bij slijmvliesontsteking in mond en keel.

Gebruiken bij:
- griep.

Niet gebruiken bij:
Er zijn geen omstandigheden bekend waarbij het gebruik van dit middel moet worden ontraden.

Bijwerkingen:
Van dit middel zijn geen bijwerkingen bekend.

Combinatie met andere geneesmiddelen:
U kunt dit geneesmiddel in het algemeen zonder bezwaar gelijktijdig met andere medicijnen gebruiken.

Gebruik tijdens zwangerschap of borstvoeding:
Dit geneesmiddel kan, voorzover bekend, zonder bezwaar overeenkomstig de voorgeschreven dosering worden gebruikt.
Het verdient in het algemeen aanbeveling bij gebruik van geneesmiddelen tijdens de zwangerschap en de periode waarin borstvoeding wordt gegeven, eerst uw arts te raadplegen.

Wijze van gebruik:
Tenzij anders is voorgeschreven, 3x daags, in acute gevallen tot 6x daags, 20 druppels in wat water innemen.

Gebruiksduur:
Indien noodzakelijk kan het middel langdurig worden toegepast. Indien de klachten aanhouden is het verstandig een arts te raadplegen.

IPECACUANHA D3

Samenstelling:
Cephaelis ipecacuanha D3 (braakwortel).

Gebruiken bij:
Een homeopathisch geneesmiddel kan doorgaans voor zeer uiteenlopende aandoeningen worden aanbevolen. Dit middel wordt echter het meest toegepast bij:
- klachten van de luchtwegen met krampachtig hoesten tot
- brakens toe
- misselijkheid en braken
- zwangerschapsbraken.
De hierna volgende opsomming van kenmerken waarbij dit middel vooral werkzaam is, is beperkt. Genoemd zijn slechts de volgende, veel voorkomende kenmerken:

In geval van klachten van de luchtwegen:
- hoest waarbij het slijm goed loskomt
- (soms) misselijkheid en braken, waarbij het braken geen
- opluchting geeft
- hoesten tot brakens toe
- patiënt heeft een opvallend schone tong.

In geval van misselijkheid en braken:
- braken doet de misselijkheid niet afnemen.

In geval van zwangerschapsbraken:
- voortdurend misselijk
- braken, waarbij veel speeksel wordt opgegeven.

Niet gebruiken bij:
Er zijn geen omstandigheden bekend waarbij het gebruik van dit middel moet worden ontraden.

Bijwerkingen:
Van dit middel zijn geen bijwerkingen bekend.

Combinatie met andere geneesmiddelen:
U kunt dit geneesmiddel in het algemeen zonder bezwaar gelijktijdig met andere medicijnen gebruiken.

Gebruik tijdens zwangerschap of borstvoeding:
Dit geneesmiddel kan, voorzover bekend, zonder bezwaar overeenkomstig de voorgeschreven dosering worden gebruikt.
Het verdient in het algemeen aanbeveling bij gebruik van geneesmiddelen tijdens de zwangerschap en de periode waarin borstvoeding wordt gegeven, eerst uw arts te raadplegen.

Wijze van gebruik:
Tenzij anders is voorgeschreven, 3x daags 5-10 druppels vóór de maaltijd in wat water innemen. In geval van misselijkheid en braken elk uur 5 druppels tot er verbetering optreedt.

Waarschuwing!
Bij klachten van de luchtwegen en krampachtige hoest is het verstandig een arts te raadplegen.

Gebruiksduur:
Indien noodzakelijk kan het middel langdurig worden toegepast. Indien de klachten aanhouden is het verstandig een arts te raadplegen.

JOHANNESOLIE medicinaal

Samenstelling:
Hyperici perforati flores (sint-janskruid).
Helianthii oleum.

Eigenschappen van de bestanddelen:
Hypericum perforatum heeft o.a. ontstekingwerende en wondhelende eigenschappen; heeft een genezende werking op het maagslijmvlies.

Gebruiken bij:
- wondverzorging (ook tepelkloofjes en brandwonden)
- (ter voorkoming van) borstklierontsteking
- ruwe en droge huid
- verzorging van de schrale huid
- luiereczeem
- maagslijmvliesontsteking
- maagzweer
- oorpijn
- oorproppen
- open been
- pijn in de stuit of het staartbeen
- winterhanden en -voeten
- zenuwpijn
- zenuwontsteking
- na zonnebrand.

Niet gebruiken bij:
Er zijn geen omstandigheden bekend waarbij het gebruik van dit middel moet worden ontraden.

Bijwerkingen:
Johannesolie medicinaal maakt de huid lichtgevoelig. In een

enkel geval kan bij intensief en langdurig zonnebaden huiduitslag optreden.

Combinatie met andere geneesmiddelen:
U kunt dit geneesmiddel in het algemeen zonder bezwaar gelijktijdig met andere medicijnen gebruiken.

Gebruik tijdens zwangerschap of borstvoeding:
Dit geneesmiddel kan, voorzover bekend, zonder bezwaar overeenkomstig de voorgeschreven dosering worden gebruikt.
Het verdient in het algemeen aanbeveling bij gebruik van geneesmiddelen tijdens de zwangerschap en de periode waarin borstvoeding wordt gegeven, eerst uw arts te raadplegen.

Wijze van gebruik:
In geval van wondverzorging, ruwe en droge huid, verzorging van de schrale huid, luiereczeem, pijn in de stuit of het staartbeen, zenuwpijn en zenuwontsteking: meerdere malen per dag zachtjes inwrijven, of op de wond druppelen.

In geval van (voorkomen van) borstklierontsteking:
wrijf de pijnlijke borsten meerdere malen per dag in met Johannesolie; desgewenst kunt u ook een warm kompres met wat Johannesolie op de pijnlijke plaats fixeren.

In geval van maagslijmvliesontsteking en maagzweer:
inwendig: 's morgens op de nuchtere maag en 's avonds een theelepeltje (à ± 3 ml) voor het eten.

In geval van oorpijn en oorproppen:
2x daags 1 druppel in het oor.

Waarschuwing!
Wanneer er een gaatje in het trommelvlies zit, kunnen druppels het gevoelige middenoor beschadigen. De huisarts kan dit eenvoudig vaststellen. Wanneer het trommelvlies intact is, kan dit advies zonder problemen worden toegepast.

In geval van open been:
de pijnlijke plaats elke ochtend voorzichtig inwrijven.

In geval van winterhanden en -voeten:
de betrokken lichaamsdelen inwrijven met verdunde (1 : 4)
Molkosan. Wanneer dit is ingedroogd, wrijft u alles nog eens
in met Johannesolie.

In geval van zonnebrand:
gevoelige plaatsen 's avonds behandelen met Johannesolie.

Gebruiksduur:
Indien noodzakelijk kan het middel langdurig worden toegepast. Indien de klachten aanhouden is het verstandig een arts
te raadplegen.

Bewaren:
In dit middel kan enig bezinksel ontstaan. Dit heeft geen nadelige invloed op de geneeskrachtige werking.

KALIUM JODATUM D4

Samenstelling:
Kalium jodatum D4 (joodkali).

Gebruiken bij:
Een homeopathisch geneesmiddel kan doorgaans voor zeer
uiteenlopende aandoeningen worden aanbevolen. Dit middel
wordt echter het meest toegepast bij:
- acute en chronische bronchitis
- bijholteontsteking
- strottenhoofdontsteking
- acute verkoudheid
- chronische of steeds terugkerende verkoudheid
- ziekte van Pfeiffer.

De hierna volgende opsomming van kenmerken waarbij dit
middel vooral werkzaam is, is beperkt. Genoemd zijn slechts
de volgende, veel voorkomende kenmerken:

In geval van aandoeningen van de bovenste luchtwegen:
- hardnekkige neusverkoudheid

- patiënt voelt zich beter bij beweging in de buitenlucht
- patiënt voelt zich slechter in een warme kamer.

In geval van bronchitis, bijholteontsteking, strottenhoofdont-
steking en acute en chronische verkoudheid:
- prikkelende, droge hoest
- heesheid
- harde, vergrote klieren
- moeilijke ademhaling
- stekende en drukkende borstpijn.

In geval van de ziekte van Pfeiffer:
- verergering door kou en vocht
- harde en pijnloze klieren.

Niet gebruiken bij:
Er zijn geen omstandigheden bekend waarbij het gebruik van
dit middel moet worden ontraden.

Bijwerkingen:
Van dit middel zijn geen bijwerkingen bekend.

Combinatie met andere geneesmiddelen:
U kunt dit geneesmiddel in het algemeen zonder bezwaar
gelijktijdig met andere medicijnen gebruiken.

Gebruik tijdens zwangerschap of borstvoeding:
Dit geneesmiddel kan, voorzover bekend, zonder bezwaar
overeenkomstig de voorgeschreven dosering worden gebruikt.
Het verdient in het algemeen aanbeveling bij gebruik van
geneesmiddelen tijdens de zwangerschap en de periode waarin borstvoeding wordt gegeven, eerst uw arts te raadplegen.

Wijze van gebruik:
Tenzij anders is voorgeschreven, 3x daags 5-10 druppels vóór
de maaltijd in wat water innemen.

Waarschuwing!
Wanneer heesheid blijft voortduren met gezwollen lymfklieren,
is het verstandig een arts te raadplegen.

Gebruiksduur:
Indien noodzakelijk kan het middel langdurig worden toegepast. Indien de klachten aanhouden is het verstandig een arts te raadplegen.

KALIUM MURIATICUM D6

Samenstelling:
Kalium chloratum D6 (kaliumchloride).

Gebruiken bij:
Een homeopathisch geneesmiddel kan doorgaans voor zeer uiteenlopende aandoeningen worden aanbevolen.
Dit middel wordt echter het meest toegepast bij:
- bijholteontsteking
- middenoorontsteking
- chronische of steeds terugkerende verkoudheid
- chronisch uittreden van vocht uit de buis van Eustachius.

De hierna volgende opsomming van kenmerken waarbij dit middel vooral werkzaam is, is beperkt. Genoemd zijn slechts de volgende, veel voorkomende kenmerken:
- verstopte neus
- dikke, witachtige en erg plakkerige afscheiding
- grauwwit beslag op de tong
- verminderd gehoor; men heeft het idee dat het oor dichtzit (door de neus dicht te knijpen en tegelijkertijd met de mond dicht te blazen, verdwijnt dit gevoel).

Niet gebruiken bij:
Er zijn geen omstandigheden bekend waarbij het gebruik van dit middel moet worden ontraden.

Bijwerkingen:
Van dit middel zijn geen bijwerkingen bekend.

Combinatie met andere geneesmiddelen:
U kunt dit geneesmiddel in het algemeen zonder bezwaar gelijktijdig met andere medicijnen gebruiken.

Gebruik tijdens zwangerschap of borstvoeding:
Dit geneesmiddel kan, voorzover bekend, zonder bezwaar
overeenkomstig de voorgeschreven dosering worden gebruikt.
Het verdient in het algemeen aanbeveling bij gebruik van
geneesmiddelen tijdens de zwangerschap en de periode waarin borstvoeding wordt gegeven, eerst uw arts te raadplegen.

Wijze van gebruik:
Tenzij anders is voorgeschreven, 3x daags 10-15 druppels
vóór de maaltijd in wat water innemen. Even in de mond houden en dan doorslikken.

Waarschuwing!
Bij bijholteontsteking en middenoorontsteking is het verstandig
een arts te raadplegen.

Gebruiksduur:
Indien noodzakelijk kan het middel langdurig worden toegepast. Indien de klachten aanhouden is het verstandig een arts
te raadplegen.

KALIUM PHOSPHORICUM D6

Samenstelling:
Kalium phosphoricum D6 (kaliumfosfaat).

Gebruiken bij:
Een homeopathisch geneesmiddel kan doorgaans voor zeer
uiteenlopende aandoeningen worden aanbevolen. Dit middel
wordt echter het meest toegepast bij:
- klachten ten gevolge van zware lichamelijke en geestelijke
  inspanning
- neerslachtigheid
- nerveuze slapeloosheid
- premenstrueel syndroom
- overspannenheid.

De hierna volgende opsomming van kenmerken waarbij dit
middel vooral werkzaam is, is beperkt. Genoemd zijn slechts
de volgende, veel voorkomende kenmerken:
- de klachten verergeren in de ochtend

In geval van premenstrueel syndroom:
- fobieën
- depressief
- slecht geheugen
- onevenwichtig.

In geval van overspannenheid:
- angstig
- depressief
- slecht geheugen
- onevenwichtig.

Niet gebruiken bij:
Er zijn geen omstandigheden bekend waarbij het gebruik van dit middel moet worden ontraden.

Bijwerkingen:
Van dit middel zijn geen bijwerkingen bekend.

Combinatie met andere geneesmiddelen:
U kunt dit geneesmiddel in het algemeen zonder bezwaar gelijktijdig met andere medicijnen gebruiken.

Gebruik tijdens zwangerschap of borstvoeding:
Dit geneesmiddel kan, voorzover bekend, zonder bezwaar overeenkomstig de voorgeschreven dosering worden gebruikt. Het verdient in het algemeen aanbeveling bij gebruik van geneesmiddelen tijdens de zwangerschap en de periode waarin borstvoeding wordt gegeven, eerst uw arts te raadplegen.

Wijze van gebruik:
Tenzij anders is voorgeschreven, 3x daags 2 tabletten vóór de maaltijd in de mond uiteen laten vallen.

Gebruiksduur:
Indien noodzakelijk kan het middel langdurig worden toegepast. Indien de klachten aanhouden is het verstandig een arts te raadplegen.

KELP D6

Samenstelling:
Macrocystis pyrifera D6 (bruinwier).

Gebruiken bij:
- te snelle werking van de schildklier.

Opmerking:
Bij schildklieraandoeningen is het verstandig een arts te raadplegen.

Niet gebruiken bij:
Er zijn geen omstandigheden bekend waarbij het gebruik van dit middel moet worden ontraden.

Bijwerkingen:
Van dit middel zijn geen bijwerkingen bekend.

Combinatie met andere geneesmiddelen:
U kunt dit geneesmiddel in het algemeen zonder bezwaar gelijktijdig met andere medicijnen gebruiken.

Gebruik tijdens zwangerschap of borstvoeding:
Dit geneesmiddel kan, voorzover bekend, zonder bezwaar overeenkomstig de voorgeschreven dosering worden gebruikt. Het verdient in het algemeen aanbeveling bij gebruik van geneesmiddelen tijdens de zwangerschap en de periode waarin borstvoeding wordt gegeven, eerst uw arts te raadplegen.

Wijze van gebruik:
Tenzij anders is voorgeschreven, 3x daags 2 tabletten vóór de maaltijd in de mond uiteen laten vallen.
In een enkel geval kunnen de klachten na inname van het middel verergeren. Stop dan met innemen. Nadat de verergering is verdwenen, kunt u een lagere dosering van dit middel gebruiken.

Waarschuwing!
Deze kwaal is niet geschikt voor zelfmedicatie. In overleg met de arts is soms een homeopathische behandeling mogelijk.

Gebruiksduur:
Indien noodzakelijk kan het middel langdurig worden toegepast. Indien de klachten aanhouden is het verstandig een arts
te raadplegen.

KELPASAN

Samenstelling:
Macrocystis pyrifera (bruinwier)
Bevat 200 microgram jodium per tablet.

Eigenschappen van de bestanddelen:
Macrocystis pyrifera verbetert door het jodiumgehalte de
functie van de schildklier en versnelt daardoor de stofwisseling.

Gebruiken bij:
- te traag werkende schildklier
- overgewicht ten gevolge van een te traag werkende
  schildklier

Niet gebruiken bij:
Zwangerschap, zolang borstvoeding wordt gegeven en bij
overgevoeligheid voor jodium.

Bijwerkingen:
Van dit middel zijn geen bijwerkingen bekend.

Combinatie met andere geneesmiddelen:
U kunt dit geneesmiddel in het algemeen zonder bezwaar
gelijktijdig met andere medicijnen gebruiken.

Wijze van gebruik:
Tenzij anders is voorgeschreven, 's morgens en 's middags 1-2
tabletten met wat water innemen.

Gebruiksduur:
Indien noodzakelijk kan het middel langdurig worden toegepast. Indien de klachten aanhouden is het verstandig een arts
te raadplegen.

LACHESIS D10

Samenstelling:
Lachesis mutus D10 (bosmeester).

Gebruiken bij:
Een homeopathisch geneesmiddel kan doorgaans voor zeer
uiteenlopende aandoeningen worden aanbevolen. Dit middel
wordt echter het meest toegepast bij:
- bloedvergiftiging
- abces en fistel
- keelontsteking
- premenstrueel syndroom
- hoofdpijn
- migraine
- overspannenheid.

De hierna volgende opsomming van kenmerken waarbij dit
middel vooral werkzaam is, is beperkt. Genoemd zijn slechts
de volgende, veel voorkomende kenmerken:

In geval van abces en fistel:
- langdurige etterprocessen
- gevaar voor bloedvergiftiging.

In geval van keelontsteking:
- slechte adem
- linkszijdigheid van de klachten
- patiënt voelt zich 's nachts en door warmte slechter
- patiënt voelt zich beter na het drinken van koude dranken
- patiënt verdraagt geen aanraking (moet keel vrij hebben;
  wil boordenknoopjes losmaken).

In geval van premenstrueel syndroom:
- pijn in de buik en verbetering in het begin van de
  menstruatie
- pijn in de onderrug (vooral bij het opstaan)
- linkszijdigheid van de klachten
- zware uitputting ('s morgens extra vermoeid)
- patiënte verdraagt geen riem of halsketting.

In geval van hoofdpijn/migraine:
- linkszijdige hoofdpijn, vooral na het wakker worden.

In geval van overspannenheid:
- zware uitputting
- spontane blauwe plekken
- 's morgens extra vermoeid
- verdraagt geen riem of halsketting.

Niet gebruiken bij:
Er zijn geen omstandigheden bekend waarbij het gebruik van dit middel moet worden ontraden.

Bijwerkingen:
Van dit middel zijn geen bijwerkingen bekend.

Combinatie met andere geneesmiddelen:
U kunt dit geneesmiddel in het algemeen zonder bezwaar gelijktijdig met andere medicijnen gebruiken.

Gebruik tijdens zwangerschap of borstvoeding:
Dit geneesmiddel kan, voorzover bekend, zonder bezwaar overeenkomstig de voorgeschreven dosering worden gebruikt.
Het verdient in het algemeen aanbeveling bij gebruik van geneesmiddelen tijdens de zwangerschap en de periode waarin borstvoeding wordt gegeven, eerst uw arts te raadplegen.

Wijze van gebruik:
Tenzij anders is voorgeschreven, 3x daags 5-10 druppels vóór de maaltijd in wat water innemen. In geval van bloedvergiftiging elk kwartier 5 druppels.
In geval van hoofdpijn en migraine elke 2-3 uur 5 druppels tot er verbetering optreedt.

Gebruiksduur:
Indien noodzakelijk kan het middel langdurig worden toegepast. Indien de klachten aanhouden is het verstandig een arts te raadplegen.

LACHESIS D12

Samenstelling:
Lachesis mutus D12 (bosmeester).

Gebruiken bij:
Een homeopathisch geneesmiddel kan doorgaans voor zeer
uiteenlopende aandoeningen worden aanbevolen. Dit middel
wordt echter het meest toegepast bij:
- bloedvergiftiging
- abces en fistel
- keelontsteking
- premenstrueel syndroom
- hoofdpijn
- migraine
- overspannenheid.

De hierna volgende opsomming van kenmerken waarbij dit
middel vooral werkzaam is, is beperkt. Genoemd zijn slechts
de volgende, veel voorkomende kenmerken:

In geval van abces en fistel:
- langdurige etterprocessen
- gevaar voor bloedvergiftiging.

In geval van keelontsteking:
- slechte adem
- linkszijdigheid van de klachten
- patiënt voelt zich 's nachts en door warmte slechter
- patiënt voelt zich beter na het drinken van koude dranken
- patiënt verdraagt geen aanraking (moet keel vrij hebben;
  wil boordenknoopjes losmaken).

In geval van premenstrueel syndroom:
- pijn in de buik en verbetering in het begin van de
  menstruatie
- pijn in de onderrug (vooral bij het opstaan)
- linkszijdigheid van de klachten
- zware uitputting ('s morgens extra vermoeid)
- patiënte verdraagt geen riem of halsketting.

In geval van hoofdpijn/migraine:
- linkszijdige hoofdpijn, vooral na het wakker worden.

In geval van overspannenheid:
- zware uitputting
- spontane blauwe plekken
- 's morgens extra vermoeid
- verdraagt geen riem of halsketting.

Niet gebruiken bij:
Er zijn geen omstandigheden bekend waarbij het gebruik van dit middel moet worden ontraden.

Bijwerkingen:
Van dit middel zijn geen bijwerkingen bekend.

Combinatie met andere geneesmiddelen:
U kunt dit geneesmiddel in het algemeen zonder bezwaar gelijktijdig met andere medicijnen gebruiken.

Gebruik tijdens zwangerschap of borstvoeding:
Dit geneesmiddel kan, voorzover bekend, zonder bezwaar overeenkomstig de voorgeschreven dosering worden gebruikt.
Het verdient in het algemeen aanbeveling bij gebruik van geneesmiddelen tijdens de zwangerschap en de periode waarin borstvoeding wordt gegeven, eerst uw arts te raadplegen.

Wijze van gebruik:
Tenzij anders is voorgeschreven, 3x daags 5-10 druppels vóór de maaltijd in wat water innemen. In geval van bloedvergiftiging elk kwartier 5 druppels.
In geval van hoofdpijn en migraine elke 2-3 uur 5 druppels tot er verbetering optreedt.

Gebruiksduur:
Indien noodzakelijk kan het middel langdurig worden toegepast. Indien de klachten aanhouden is het verstandig een arts te raadplegen.

LINOFORCE

Samenstelling:
Linum usitatissimum - 43% (lijnzaad)
Rhamnus frangula - 1% (vuilboom)
Senna folia - 13% (senna).

Eigenschappen van de bestanddelen:
Linum usitatissimum werkt laxerend. Het zaad van de plant
bevat slijmstoffen en vette oliën die door hun zwelling en glijvermogen laxerend werken.
Rhamnus frangula verbetert de slijmafscheiding van de dikke
darm, bevordert het transport van de darminhoud en houdt de
ontlasting zacht.
Senna prikkelt de dunne en de dikke darm tot een beter transport van de darminhoud. De laxerende werking treedt 8-10
uur na inname op.

Gebruiken bij:
- verstopping
- als aanvullend middel bij de behandeling van aambeien.

Niet gebruiken bij:
Zwangerschap, zolang borstvoeding wordt gegeven en bij
darmontsteking.

Bijwerkingen:
In een enkel geval kunnen darmkrampen voorkomen.
De dosering moet dan worden verlaagd.

Combinatie met andere geneesmiddelen:
U kunt dit geneesmiddel in het algemeen zonder bezwaar
gelijktijdig met andere medicijnen gebruiken.

Gebruik tijdens zwangerschap of borstvoeding:
Dit geneesmiddel niet gebruiken tijdens de zwangerschap,
zolang er borstvoeding wordt gegeven.

Wijze van gebruik:
Tenzij anders is voorgeschreven, 3x daags tot 1 dessertlepel

(à ± 5 g) korrels na de maaltijd met een glas water innemen. Linoforce is gemakkelijk te doseren en aan de individuele behoefte aan te passen. Het verdient aanbeveling bij het innemen van het middel veel te drinken.

Gebruiksduur:
Indien de klachten aanhouden is het verstandig een arts te raadplegen.

LINOSAN

Samenstelling:
Acidum citricum - 1% (citroenzuur)
Linum usitatissimum - 74% (lijnzaad)
Mel (honing) - 19% (honing)
Rosa canina fruct. - 6% (hondsroos).

Eigenschappen van de bestanddelen:
Acidum citricum verbetert de spijsvertering bij te weinig maagzuur en werkt laxerend. Linum usitatissimum werkt laxerend. Het zaad van de plant bevat slijmstoffen en vette oliën die door hun zwelling en glijvermogen laxerend werken. Mel (honing) verbetert de spijsvertering en kalmeert de maag. Rosa canina fruct. werkt mild laxerend.

Gebruiken bij:
- verstopping.

Niet gebruiken bij:
Er zijn geen omstandigheden bekend waarbij het gebruik van dit middel moet worden ontraden.

Bijwerkingen:
Van dit middel zijn geen bijwerkingen bekend.

Waarschuwing!
Linosan bevat honing. Een dosering komt overeen met 13 kJ. Suikerpatiënten dienen hier rekening mee te houden.

Combinatie met andere geneesmiddelen:
U kunt dit geneesmiddel in het algemeen zonder bezwaar gelijktijdig met andere medicijnen gebruiken.

Gebruik tijdens zwangerschap of borstvoeding:
Dit geneesmiddel kan, voorzover bekend, zonder bezwaar overeenkomstig de voorgeschreven dosering worden gebruikt.
Het verdient in het algemeen aanbeveling bij gebruik van geneesmiddelen tijdens de zwangerschap en de periode waarin borstvoeding wordt gegeven, eerst uw arts te raadplegen.

Wijze van gebruik:
Tenzij anders is voorgeschreven, 3x daags 1 dessertlepel (à ± 4 g) korrels na de maaltijd met een glas water innemen.

Gebruiksduur:
Indien noodzakelijk kan het middel langdurig worden toegepast. Indien de klachten aanhouden is het verstandig een arts te raadplegen.

LYCOPODIUM D6

Samenstelling:
Lycopodium clavatum D6 (grote wolfsklauw).

Gebruiken bij:
Een homeopathisch geneesmiddel kan doorgaans voor zeer uiteenlopende aandoeningen worden aanbevolen. Dit middel wordt echter het meest toegepast bij:
- artritis
- keelontsteking
- lever- en galaandoeningen
- maagslijmvliesontsteking
- spijsverteringsstoornissen
- verstopping.

De hierna volgende opsomming van kenmerken waarbij dit middel vooral werkzaam is, is beperkt. Genoemd zijn slechts de volgende, veel voorkomende kenmerken:

- pijnlijke leverstreek
- vermageren, maar opgezette buik
- gevoelige emotionele personen
- klachten zijn tussen 16.00 en 20.00 uur erger.

In geval van artritis:
- klachten verergeren in de namiddag
- er is weerstand tegen frisse lucht
- men is lichamelijk niet zo sterk, maar geestelijk wel erg actief
- pijn doet zich vooral aan de rechterzijde van het lichaam voor.

In geval van keelontsteking:
- in het begin rechtszijdigheid van de klachten
- klachten verlopen van rechts naar links
- moeilijk slikken
- patiënt voelt zich beter door het drinken van warme dranken
- patiënt voelt zich slechter na het drinken van koude dranken.

In geval van lever- en galaandoeningen:
- opgezette buik
- heeft vaak honger, maar is snel verzadigd
- moeilijke stoelgang
- snel geïrriteerd.

In geval van maagslijmvliesontsteking:
- opgezette buik
- heeft vaak honger, maar is snel verzadigd
- gasvorming
- zure oprispingen
- goed verdragen van zoetigheid.

In geval van verstopping:
- chronische leveraandoeningen
- droge ontlasting
- ontregeld spijsverteringsstelsel
- zure oprispingen
- 's nachts soms hongerig
- pijnlijke leverstreek.

Waarschuwing!

Bij vermagering in korte tijd is het verstandig een arts te raadplegen.

Niet gebruiken bij:

Er zijn geen omstandigheden bekend waarbij het gebruik van dit middel moet worden ontraden.

Bijwerkingen:

Van dit middel zijn geen bijwerkingen bekend.

Combinatie met andere geneesmiddelen:

U kunt dit geneesmiddel in het algemeen zonder bezwaar gelijktijdig met andere medicijnen gebruiken.

Gebruik tijdens zwangerschap of borstvoeding:

Dit geneesmiddel kan, voorzover bekend, zonder bezwaar overeenkomstig de voorgeschreven dosering worden gebruikt.
Het verdient in het algemeen aanbeveling bij gebruik van geneesmiddelen tijdens de zwangerschap en de periode waarin borstvoeding wordt gegeven, eerst uw arts te raadplegen.

Wijze van gebruik:

Tenzij anders is voorgeschreven, 3x daags 5-10 druppels vóór de maaltijd in wat water innemen.

Gebruiksduur:

Indien noodzakelijk kan het middel langdurig worden toegepast. Indien de klachten aanhouden is het verstandig een arts te raadplegen.

LYCOPUS EUROPAEUS D1

Samenstelling:

Lycopus europaeus D1 (Europese wolfspoot).

Gebruiken bij:

Een homeopathisch geneesmiddel kan doorgaans voor zeer

uiteenlopende aandoeningen worden aanbevolen. Dit middel
wordt echter het meest toegepast bij:
- te snel werkende schildklier
- nervositeit (als gevolg van een te snel werkende schildklier)
- innerlijke onrust en hartkloppingen (als gevolg van een te
- snel werkende schildklier).

De hierna volgende opsomming van kenmerken waarbij dit
middel vooral werkzaam is, is beperkt. Genoemd zijn slechts
de volgende, veel voorkomende kenmerken:
- overmatige transpiratie
- uitpuilende ogen
- beven.

Waarschuwing!
Bij klachten van schildklier en hart is het verstandig een arts
te raadplegen.

Niet gebruiken bij:
Er zijn geen omstandigheden bekend waarbij het gebruik van
dit middel moet worden ontraden

Bijwerkingen:
Van dit middel zijn geen bijwerkingen bekend.

Combinatie met andere geneesmiddelen:
U kunt dit geneesmiddel in het algemeen zonder bezwaar
gelijktijdig met andere medicijnen gebruiken.

Gebruik tijdens zwangerschap of borstvoeding:
Dit geneesmiddel kan, voorzover bekend, zonder bezwaar overeenkomstig de voorgeschreven dosering worden gebruikt.
Het verdient in het algemeen aanbeveling bij gebruik van
geneesmiddelen tijdens de zwangerschap en de periode waarin
borstvoeding wordt gegeven, eerst uw arts te raadplegen.

Wijze van gebruik:
Tenzij anders is voorgeschreven, 3x daags 5-10 druppels vóór
de maaltijd in wat water innemen.

Gebruiksduur:
Indien noodzakelijk kan het middel langdurig worden toegepast. Indien de klachten aanhouden is het verstandig een arts te raadplegen.

LYCOPUS EUROPAEUS D3

Samenstelling:
Lycopus europaeus D3 (Europese wolfspoot).

Gebruiken bij:
Een homeopathisch geneesmiddel kan doorgaans voor zeer uiteenlopende aandoeningen worden aanbevolen. Dit middel wordt echter het meest toegepast bij:
- te snel werkende schildklier
- hartkloppingen ten gevolge van een te snel werkende schildklier
- nervositeit ten gevolge van een te snel werkende schildklier.

Waarschuwing!
Bij klachten van schildklier en hart is het verstandig een arts te raadplegen.

De hierna volgende opsomming van kenmerken waarbij dit middel vooral werkzaam is, is beperkt. Genoemd zijn slechts de volgende, veel voorkomende kenmerken:
- overmatige transpiratie
- uitpuilende ogen
- beven.

Niet gebruiken bij:
Er zijn geen omstandigheden bekend waarbij het gebruik van dit middel moet worden ontraden.

Bijwerkingen:
Van dit middel zijn geen bijwerkingen bekend.

Combinatie met andere geneesmiddelen:
U kunt dit geneesmiddel in het algemeen zonder bezwaar gelijktijdig met andere medicijnen gebruiken.

Gebruik tijdens zwangerschap of borstvoeding:
Dit geneesmiddel kan, voorzover bekend, zonder bezwaar overeenkomstig de voorgeschreven dosering worden gebruikt. Het verdient in het algemeen aanbeveling bij gebruik van geneesmiddelen tijdens de zwangerschap en de periode waarin borstvoeding wordt gegeven, eerst uw arts te raadplegen.

Wijze van gebruik:
Tenzij anders is voorgeschreven, 3x daags 5-10 druppels vóór de maaltijd in wat water innemen. De werking van dit genees-middel is pas na 3 tot 4 weken duidelijk merkbaar.

Gebruiksduur:
Indien noodzakelijk kan het middel langdurig worden toege-past. Indien de klachten aanhouden is het verstandig een arts te raadplegen.

LYCOPUS VIRGINICUS D6

Samenstelling:
Lycopus virginicus D6 (Virginische wolfspoot).

Gebruiken bij:
Een homeopathisch geneesmiddel kan doorgaans voor zeer uiteenlopende aandoeningen worden aanbevolen. Dit middel wordt echter het meest toegepast bij:
- te sterk werkende schildklier
- nerveuze hartkloppingen
- snelle hartslag.

Waarschuwing!
Bij klachten van schildklier en hart is het verstandig een arts te raadplegen.

Niet gebruiken bij:
Er zijn geen omstandigheden bekend waarbij het gebruik van dit middel moet worden ontraden.

Bijwerkingen:
Van dit middel zijn geen bijwerkingen bekend.

Combinatie met andere geneesmiddelen:
U kunt dit geneesmiddel in het algemeen zonder bezwaar gelijktijdig met andere medicijnen gebruiken.

Gebruik tijdens zwangerschap of borstvoeding:
Dit geneesmiddel kan, voorzover bekend, zonder bezwaar overeenkomstig de voorgeschreven dosering worden gebruikt.
Het verdient in het algemeen aanbeveling bij gebruik van geneesmiddelen tijdens de zwangerschap en de periode waarin borstvoeding wordt gegeven, eerst uw arts te raadplegen.

Wijze van gebruik:
Tenzij anders is voorgeschreven, 3x daags 5-10 druppels vóór de maaltijd in wat water innemen.

Gebruiksduur:
Indien noodzakelijk kan het middel langdurig worden toegepast. Indien de klachten aanhouden is het verstandig een arts te raadplegen.

MAGNESIUM PHOSPHORICUM D6

Samenstelling:
Magnesium phosphoricum D6 (magnesiumfosfaat).

Gebruiken bij:
Een homeopathisch geneesmiddel kan doorgaans voor zeer uiteenlopende aandoeningen worden aanbevolen. Dit middel wordt echter het meest toegepast bij:
- krampen
- pijnlijke menstruatie
- pijn
- migraine.

De hierna volgende opsomming van kenmerken waarbij dit middel vooral werkzaam is, is beperkt. Genoemd zijn slechts de volgende, veel voorkomende kenmerken:

In geval van pijnlijke menstruatie:
- menstruatie komt te vroeg en er is vooral afscheiding van
- donker bloed
- krampachtige menstruatiepijnen die verminderen zodra de
  bloeding begint, door warmte of wanneer de patiënte zich
  vooroverbuigt.

In geval van pijn:
- (krampachtige, stekende) pijn vermindert door druk en
- warmte
- pijn komt plotseling op en verdwijnt ook weer plotseling.

Niet gebruiken bij:
Er zijn geen omstandigheden bekend waarbij het gebruik van
dit middel moet worden ontraden.

Bijwerkingen:
Van dit middel zijn geen bijwerkingen bekend.

Combinatie met andere geneesmiddelen:
U kunt dit geneesmiddel in het algemeen zonder bezwaar
gelijktijdig met andere medicijnen gebruiken.

Gebruik tijdens zwangerschap of borstvoeding:
Dit geneesmiddel kan, voorzover bekend, zonder bezwaar overeenkomstig de voorgeschreven dosering worden gebruikt.
Het verdient in het algemeen aanbeveling bij gebruik van
geneesmiddelen tijdens de zwangerschap en de periode waarin
borstvoeding wordt gegeven, eerst uw arts te raadplegen.

Wijze van gebruik:
Tenzij anders is voorgeschreven, 3x daags 2 tabletten vóór de
maaltijd in de mond uiteen laten vallen.

Gebruiksduur:
Indien noodzakelijk kan het middel langdurig worden toegepast. Indien de klachten aanhouden is het verstandig een arts
te raadplegen.

MARUM VERUM tinctuur

Samenstelling:
Teucrium marum ø (amberkruid).

Eigenschappen van de bestanddelen:
Teucrium marum ø bevordert het ophoesten van slijm en
beschermt de slijmvliezen.

Gebruiken bij:
- neuspoliepen
- vergrote neusamandel
- bijholte ontsteking
- chronische of steeds terugkerende verkoudheid.

Niet gebruiken bij:
Er zijn geen omstandigheden bekend waarbij het gebruik van
dit middel moet worden ontraden.

Bijwerkingen:
Van dit middel zijn geen bijwerkingen bekend.

Combinatie met andere geneesmiddelen:
U kunt dit geneesmiddel in het algemeen zonder bezwaar
gelijktijdig met andere medicijnen gebruiken.

Gebruik tijdens zwangerschap of borstvoeding:
Dit geneesmiddel kan, voorzover bekend, zonder bezwaar overeenkomstig de voorgeschreven dosering worden gebruikt.
Het verdient in het algemeen aanbeveling bij gebruik van
geneesmiddelen tijdens de zwangerschap en de periode waarin
borstvoeding wordt gegeven, eerst uw arts te raadplegen.

Wijze van gebruik:
Tenzij anders is voorgeschreven, uitwendig: vermeng 1 deel
tinctuur met 5 delen gekookt afgekoeld water. Deze
water/Marum verum tinctuuroplossing opsnuiven of meerdere
malen per dag in de neus druppelen (ca. 20 druppels per keer).
Inwendig: 3x daags 10 druppels in wat water innemen.

Gebruiksduur:
Indien noodzakelijk kan het middel langdurig worden toegepast. Indien de klachten aanhouden is het verstandig een arts te
raadplegen.

Bewaren:
In dit middel kan enig bezinksel ontstaan. Dit heeft geen nadelige invloed op de geneeskrachtige werking.

MERCURIUS SOLUBILIS D8

Samenstelling:
Mercurius solubilis Hahnemanni D8 (kwik).

Gebruiken bij:
Een homeopathisch geneesmiddel kan doorgaans voor zeer
uiteenlopende aandoeningen worden aanbevolen.
Dit middel wordt echter het meest toegepast bij:
- bof
- borstklierontsteking
- keelontsteking
- mondslijmvliesontsteking
- ziekte van Pfeiffer
- huidaandoeningen.

De hierna volgende opsomming van kenmerken waarbij dit
middel vooral werkzaam is, is beperkt. Genoemd zijn slechts
de volgende, veel voorkomende kenmerken:
- veel speeksel in de mond en veel dorst
- slechte adem
- gejaagde types'
- onrustige kinderen.

In geval van borstklierontsteking en
mondslijmvliesontsteking:
- transpireren (vooral 's nachts)
- klachten verergeren 's nachts.

In geval van keelontsteking en ziekte van Pfeiffer:
- transpireren (vooral 's nachts)
- klachten verergeren 's nachts
- droge, holle hoest.

In geval van huidaandoeningen:
- vies ruikende afscheiding
- klachten verergeren 's nachts.

Niet gebruiken bij:
Er zijn geen omstandigheden bekend waarbij het gebruik van dit middel moet worden ontraden.

Bijwerkingen:
Van dit middel zijn geen bijwerkingen bekend.

Combinatie met andere geneesmiddelen:
U kunt dit geneesmiddel in het algemeen zonder bezwaar gelijktijdig met andere medicijnen gebruiken.

Gebruik tijdens zwangerschap of borstvoeding:
Dit geneesmiddel kan, voorzover bekend, zonder bezwaar overeenkomstig de voorgeschreven dosering worden gebruikt.
Het verdient in het algemeen aanbeveling bij gebruik van geneesmiddelen tijdens de zwangerschap en de periode waarin borstvoeding wordt gegeven, eerst uw arts te raadplegen.

Wijze van gebruik:
Tenzij anders is voorgeschreven, 3x daags 2 tabletten vóór de maaltijd in de mond uiteen laten vallen.

Gebruiksduur:
Indien noodzakelijk kan het middel langdurig worden toegepast. Indien de klachten aanhouden is het verstandig een arts te raadplegen.

MEZEREUM D3

Samenstelling:
Daphne mezereum D3 (peperboompje).

Gebruiken bij:
Een homeopathisch geneesmiddel kan doorgaans voor zeer
uiteenlopende aandoeningen worden aanbevolen. Dit middel
wordt echter het meest toegepast bij:
- jeuk
- huiduitslag met blaasjes
- gordelroos
- netelroos
- waterpokken.

De hierna volgende opsomming van kenmerken waarbij dit
middel vooral werkzaam is, is beperkt. Genoemd zijn slechts
de volgende, veel voorkomende kenmerken:
klachten verergeren 's nachts, door bedwarmte en ergernissen.

In geval van jeuk:
- brandende irritatie van de slijmvliezen van mond- en keelholte
- huiduitslag in de vorm van etterige blaasjes, die later korstjes
  worden
- jeuk wordt 's nachts erger.

In geval van netelroos:
- jeuk wordt 's nachts erger
- huiduitslag in de vorm van etterige blaasjes, die later korstjes
  worden (dit laatste is echter geen netelroos).

Niet gebruiken bij:
Er zijn geen omstandigheden bekend waarbij het gebruik van
dit middel moet worden ontraden.

Bijwerkingen:
Van dit middel zijn geen bijwerkingen bekend.

Combinatie met andere geneesmiddelen:
U kunt dit geneesmiddel in het algemeen zonder bezwaar
gelijktijdig met andere medicijnen gebruiken.

Gebruik tijdens zwangerschap of borstvoeding:
Dit geneesmiddel kan, voorzover bekend, zonder bezwaar over-
eenkomstig de voorgeschreven dosering worden gebruikt.
Het verdient in het algemeen aanbeveling bij gebruik van

geneesmiddelen tijdens de zwangerschap en de periode waarin borstvoeding wordt gegeven, eerst uw arts te raadplegen.

Wijze van gebruik:
Tenzij anders is voorgeschreven, 3x daags 5-10 druppels vóór de maaltijd in wat water innemen.

Gebruiksduur:
Indien noodzakelijk kan het middel langdurig worden toegepast. Indien de klachten aanhouden is het verstandig een arts te raadplegen.

MIEREZUUR D12

Samenstelling:
Acidum formicicum D12 (mierenzuur).

Gebruiken bij:
Een homeopathisch geneesmiddel kan doorgaans voor zeer uiteenlopende aandoeningen worden aanbevolen. Dit middel wordt echter het meest toegepast bij:
- gewrichtsklachten/jicht
- eczeem bij kinderen
- door allergie veroorzaakte verkoudheid.

De hierna volgende opsomming van kenmerken waarbij dit middel vooral werkzaam is, is beperkt. Genoemd zijn slechts de volgende, veel voorkomende kenmerken:
- gevoeligheid voor kou en vocht
- klachten komen en verdwijnen plotseling.

Waarschuwing!
Bij gewrichtsklachten die plotseling ontstaan is het verstandig een arts te raadplegen.

Niet gebruiken bij:
Er zijn geen omstandigheden bekend waarbij het gebruik van dit middel moet worden ontraden.

Bijwerkingen:
Van dit middel zijn geen bijwerkingen bekend.

Combinatie met andere geneesmiddelen:
U kunt dit geneesmiddel in het algemeen zonder bezwaar
gelijktijdig met andere medicijnen gebruiken.

Gebruik tijdens zwangerschap of borstvoeding:
Dit geneesmiddel kan, voorzover bekend, zonder bezwaar overeenkomstig de voorgeschreven dosering worden gebruikt.
Het verdient in het algemeen aanbeveling bij gebruik van
geneesmiddelen tijdens de zwangerschap en de periode waarin
borstvoeding wordt gegeven, eerst uw arts te raadplegen.

Wijze van gebruik:
Tenzij anders is voorgeschreven, 3x daags 5-10 druppels vóór
de maaltijd in wat water innemen.

Gebruiksduur:
Indien noodzakelijk kan het middel langdurig worden toegepast. Indien de klachten aanhouden is het verstandig een arts
te raadplegen.

MIERIKSWORTEL tinctuur

Samenstelling:
Armoracia lapathifolia ø (mierikswortel).

Eigenschappen van de bestanddelen
Armoracia lapathifolia ø heeft een antibiotische werking; uitwendig toegepast, verbetert de tinctuur plaatselijk de
doorbloeding.

Gebruiken bij:
- ontstekingen in mond en keel
- keelpijn
- wondverzorging.

Niet gebruiken bij:
Er zijn geen omstandigheden bekend waarbij het gebruik van dit middel moet worden ontraden.

Bijwerkingen:
Van dit middel zijn geen bijwerkingen bekend.

Combinatie met andere geneesmiddelen:
U kunt dit geneesmiddel in het algemeen zonder bezwaar gelijktijdig met andere medicijnen gebruiken.

Gebruik tijdens zwangerschap of borstvoeding:
Dit geneesmiddel kan, voorzover bekend, zonder bezwaar overeenkomstig de voorgeschreven dosering worden gebruikt.
Het verdient in het algemeen aanbeveling bij gebruik van geneesmiddelen tijdens de zwangerschap en de periode waarin borstvoeding wordt gegeven, eerst uw arts te raadplegen.

Wijze van gebruik:
Bij klachten in mond en keel: 30-40 druppels in een half glas water, daarmee over de dag verdeeld enige malen spoelen. Ter verzorging van wondjes: verdund met afgekoeld, gekookt water naar behoefte op de wond druppelen; als kompres: verdunnen met gekookt, afgekoeld water: (1 deel Mierikswortel tinctuur op 5 delen water). In geval van wratten: stip de wrat aan met een in Mierikswortel tinctuur gedrenkt wattenstaafje.

Gebruiksduur:
Indien noodzakelijk kan het middel langdurig worden toegepast. Indien de klachten aanhouden is het verstandig een arts te raadplegen.

Bewaren:
In dit middel kan enig bezinksel ontstaan. Dit heeft geen nadelige invloed op de geneeskrachtige werking.

MILLEFOLIUM tinctuur

Samenstelling:
Achillea millefolium ø (duizendblad).

Eigenschappen van de bestanddelen:
Achillea millefolium ø wordt van oudher toegepast bij de
behandeling van aambeien en spataderen.

Gebruiken bij:
- veneuze stuwingen
- aambeien tijdens de zwangerschap
- spataderen
- aderontsteking.

Niet gebruiken bij:
Overgevoeligheid voor Millefolium.

Bijwerkingen:
Van dit middel zijn geen bijwerkingen bekend.

Combinatie met andere geneesmiddelen:
U kunt dit geneesmiddel in het algemeen zonder bezwaar
gelijktijdig met andere medicijnen gebruiken.

Gebruik tijdens zwangerschap of borstvoeding:
Dit geneesmiddel kan, voorzover bekend, zonder bezwaar overeenkomstig de voorgeschreven dosering worden gebruikt.
Het verdient in het algemeen aanbeveling bij gebruik van
geneesmiddelen tijdens de zwangerschap en de periode waarin borstvoeding wordt gegeven, eerst uw arts te raadplegen.

Wijze van gebruik:
Tenzij anders is voorgeschreven, 3x daags 10-20 druppels
vóór de maaltijd in wat water innemen. Uitwendig: naar
behoefte.
Bij spataderen enige malen per dag deppen met een watje dat
met de tinctuur is bedruppeld.

Gebruiksduur:
Indien noodzakelijk kan het middel langdurig worden toegepast. Indien de klachten aanhouden is het verstandig een arts te
raadplegen.

Bewaren:
In dit middel kan enig bezinksel ontstaan. Dit heeft geen nadelige invloed op de geneeskrachtige werking.

MONARDA COMPLEX

Samenstelling:
Achillea millefolium ø - 10% (duizendblad)
Arctostaphylos uvaursi ø - 25% (beredruif)
Atropa belladonna D2 - 4% (wolfskers)
Avena sativa ø - 6% (haver)
Echinacea purpurea ø - 25% (rode zonnehoed)
Hypericum perforatum ø - 10% (sint-janskruid)
Melissa officinalis ø - 6% (citroenmelisse)
Monarda didyma ø - 5% (bergamotplant)
Populus tremula ø - 4% (ratelpopulier)
Rhus aromatica ø - 5% (sumak).

Eigenschappen van de bestanddelen:
Achillea millefolium ø werkt o.a. krampopheffend en ontstekingsremmend.
Arctostaphylos uvaursi ø werkt antibacterieel.
Atropa belladonna D2 helpt o.a. bij plotseling opkomende klachten zoals koorts, en werkt ontspannend op de blaasspier.
Avena sativa ø versterkt het zenuwstelsel, kalmeert en ontspant.
Echinacea purpurea ø verhoogt de weerstand tegen bacteriële en virale infecties en voorkomt dat infecties zich uitbreiden.
Hypericum perforatum ø werkt kalmerend en wordt van oudsher toegepast bij bedplassen.
Melissa officinalis ø kalmeert en werkt krampopheffend.
Monarda didyma ø werkt kalmerend en koortsverlagend.
Populus tremula ø werkt ontstekingsremmend en heeft een pijnstillende en een zwak urinedrijvende werking.
Rhus aromatica ø heeft een ontstekingsremmende werking en wordt van oudsher toegepast bij bedplassen.

Gebruiken bij:
- bedplassen

- blaasontsteking
- urge-incontinentie.

Niet gebruiken bij:
Er zijn geen omstandigheden bekend waarbij het gebruik van
dit middel moet worden ontraden.

Bijwerkingen:
In een enkel geval kan enig ongemak worden ervaren (een
droge mond); verder zijn, bij de aangegeven dosering, geen
bijwerkingen bekend.

Combinatie met andere geneesmiddelen:
U kunt dit geneesmiddel in het algemeen zonder bezwaar
gelijktijdig met andere medicijnen gebruiken.

Gebruik tijdens zwangerschap of borstvoeding:
Dit geneesmiddel kan, voorzover bekend, zonder bezwaar overeenkomstig de voorgeschreven dosering worden gebruikt.
Het verdient in het algemeen aanbeveling bij gebruik van
geneesmiddelen tijdens de zwangerschap en de periode waarin
borstvoeding wordt gegeven, eerst uw arts te raadplegen.

Wijze van gebruik:
Tenzij anders is voorgeschreven, 3x daags 10 druppels voor de
maaltijd innemen. Nadat de klachten zijn verdwenen Monarda
complex nog ongeveer een maand blijven gebruiken. Dit
voorkomt het terugkeren van de klachten.

Gebruiksduur:
Indien noodzakelijk kan het middel langdurig worden toegepast. Indien de klachten aanhouden is het verstandig een arts te
raadplegen.

Bewaren:
In dit middel kan enig bezinksel ontstaan. Dit heeft geen nadelige invloed op de geneeskrachtige werking.

MYRTILLUS COMPLEX

Samenstelling:
Cardamine pratensis ø - 11% (pinksterbloem)
Juglans regia ø - 12% (walnoot)
Medicago sativa ø - 22% (luzerneklaver)
Phaseolus vulgaris ø = D1 - 22% (boon)
Potentilla erecta ø - 11% (tormentil)
Vaccinum myrtillus ø - 22% (blauwe bosbes).

Eigenschappen van de bestanddelen:
Cardamine pratensis ø heeft een bloedzuiverende werking.
Juglans regia ø heeft een zwak bloedsuikerverlagende werking.
Medicago sativa ø versterkt bij lichamelijke vermoeidheid.
Phaseolus vulgaris ø=D1 remt de opname van koolhydraten
vanuit de darmen in het bloed en heeft een enigszins bloedsui-
kerverlagende werking.
Potentilla ø heeft o.a. een gunstige invloed op de werking van
de alvleesklier.
Vaccinum myrtillus ø heeft een insulinesparende werking en
werkt bloedsuikerverlagend.

Gebruiken bij:
- functionele hypoglykemie
- ouderdomssuikerziekte (type II) en als adjuvans bij juveniele
  diabetes (type I). Gebruik uitsluitend in overleg met uw arts!

Niet gebruiken bij:
Er zijn geen omstandigheden bekend waarbij het gebruik van
dit middel moet worden ontraden.

Bijwerkingen:
Van dit middel zijn geen bijwerkingen bekend.
Combinatie met andere geneesmiddelen:
U kunt dit geneesmiddel in het algemeen zonder bezwaar
gelijktijdig met andere medicijnen gebruiken.

Gebruik tijdens zwangerschap of borstvoeding:
Dit geneesmiddel kan, voorzover bekend, zonder bezwaar overeenkomstig de voorgeschreven dosering worden gebruikt.

Het verdient in het algemeen aanbeveling bij gebruik van geneesmiddelen tijdens de zwangerschap en de periode waarin borstvoeding wordt gegeven, eerst uw arts te raadplegen.

Wijze van gebruik:
Tenzij anders is voorgeschreven, 3x daags 10-20 druppels vóór de maaltijd in wat water innemen.

Waarschuwing!
Gebruik dit middel uitsluitend in overleg met uw arts!

Gebruiksduur:
Indien noodzakelijk kan het middel langdurig worden toegepast. Indien de klachten aanhouden is het verstandig een arts te raadplegen.

Bewaren:
In dit middel kan enig bezinksel ontstaan. Dit heeft geen nadelige invloed op de geneeskrachtige werking.

NATRIUM MURIATICUM D6

Samenstelling:
Natrium chloratum D6 (natriumchloride).

Gebruiken bij:
Een homeopathisch geneesmiddel kan doorgaans voor zeer uiteenlopende aandoeningen worden aanbevolen. Dit middel wordt echter het meest toegepast bij:
- bloedarmoede
- depressiviteit
- chronische verkoudheid
- hoofdpijn
- koortslip/koortsuitslag; gebarsten lippen
- migraine
- haaruitval aan de haargrens
- lage- rugpijn
- witte vloed.

De hierna volgende opsomming van kenmerken waarbij dit middel vooral werkzaam is, is beperkt. Genoemd zijn slechts de volgende kenmerken:
- droge mond met veel dorst, gaat gepaard met misselijkheid
- vaak blaasjes op de lippen
- droge ontlasting
- patiënt heeft opvallende trek in hartige dingen (zout)
- patiënt is erg koudegevoelig
- patiënt is snel depressief.

In geval van chronische verkoudheid:
- snel vatbaar voor infecties
- chronisch niezen en loopneus
- koortsuitslag/gebarsten lippen.

In geval van hoofdpijn/migraine:
- chronische, periodieke hoofdpijn (elke 3-4 dagen) met hevig
- kloppen in het hoofd
- veelal lage- rugpijn, vooral bij tengere mensen
- hoofdpijn vooral 's morgens en na geestelijke inspanning.

In geval van witte vloed:
- droge slijmvliezen van de vagina
- waterige, kleurloze afscheiding, die etsend op de slijmvliezen inwerkt.

Niet gebruiken bij:
Er zijn geen omstandigheden bekend waarbij het gebruik van dit middel moet worden ontraden.

Bijwerkingen:
Van dit middel zijn geen bijwerkingen bekend.

Combinatie met andere geneesmiddelen:
U kunt dit geneesmiddel in het algemeen zonder bezwaar gelijktijdig met andere medicijnen gebruiken.

Gebruik tijdens zwangerschap of borstvoeding:
Dit geneesmiddel kan, voorzover bekend, zonder bezwaar over-eenkomstig de voorgeschreven dosering worden gebruikt.

Het verdient in het algemeen aanbeveling bij gebruik van geneesmiddelen tijdens de zwangerschap en de periode waarin borstvoeding wordt gegeven, eerst uw arts te raadplegen.

Wijze van gebruik:
Tenzij anders is voorgeschreven, 3x daags 5-10 druppels vóór de maaltijd in wat water innemen. In geval van hoofdpijn elk uur 5 druppels tot er verbetering optreedt.

Gebruiksduur:
Indien noodzakelijk kan het middel langdurig worden toegepast. Indien de klachten aanhouden is het verstandig een arts te raadplegen.

NATRIUM PHOSPHORICUM D6

Samenstelling:
Natrium phosphoricum D6 (natriumfosfaat).

Gebruiken bij:
Een homeopathisch geneesmiddel kan doorgaans voor zeer uiteenlopende aandoeningen worden aanbevolen. Dit middel wordt echter het meest toegepast bij:
- brandend maagzuur.

De hierna volgende opsomming van kenmerken waarbij dit middel vooral werkzaam is, is beperkt. Genoemd zijn slechts de volgende, veel voorkomende kenmerken:
- neiging tot diarree
- zit graag in de buitenlucht
- vatbaar voor kou.

Niet gebruiken bij:
Er zijn geen omstandigheden bekend waarbij het gebruik van dit middel moet worden ontraden.

Bijwerkingen:
Van dit middel zijn geen bijwerkingen bekend.

Combinatie met andere geneesmiddelen:
U kunt dit geneesmiddel in het algemeen zonder bezwaar gelijktijdig met andere medicijnen gebruiken.

Gebruik tijdens zwangerschap of borstvoeding:
Dit geneesmiddel kan, voorzover bekend, zonder bezwaar overeenkomstig de voorgeschreven dosering worden gebruikt.
Het verdient in het algemeen aanbeveling bij gebruik van geneesmiddelen tijdens de zwangerschap en de periode waarin borstvoeding wordt gegeven, eerst uw arts te raadplegen.

Wijze van gebruik:
Tenzij anders is voorgeschreven, 3x daags 2 tabletten vóór de maaltijd in de mond uiteen laten vallen.

Gebruiksduur:
Indien noodzakelijk kan het middel langdurig worden toegepast. Indien de klachten aanhouden is het verstandig een arts te raadplegen.

NATRIUM SULFURICUM D6

Samenstelling:
Natrium sulfuricum D6 (natriumsulfaat).

Gebruiken bij:
Een homeopathisch geneesmiddel kan doorgaans voor zeer uiteenlopende aandoeningen worden aanbevolen. Dit middel wordt echter het meest toegepast bij:
- cara bij vochtig weer
- darmgassen en dysbacteriose
- (ochtend) diarree
- huidklachten zoals wratten (vooral in de lente)
- opgeblazen gevoel.

De hierna volgende opsomming van kenmerken waarbij dit middel vooral werkzaam is, is beperkt. Genoemd zijn slechts de volgende, veel voorkomende kenmerken:
- winderigheid na het ontbijt
- alle klachten verergeren bij vochtig weer.

In geval van cara bij vochtig weer:
- patiënt voelt zich slechter tijdens een verblijf aan zee
- klachten verergeren door vochtig weer of een vochtige
  omgeving
- groenachtig, plakkerig slijm
- (tijdens een hoestbui) pijn die naar de linkerarm uitstraalt.

Niet gebruiken bij:
Er zijn geen omstandigheden bekend waarbij het gebruik van
dit middel moet worden ontraden.

Bijwerkingen:
Van dit middel zijn geen bijwerkingen bekend.

Combinatie met andere geneesmiddelen:
U kunt dit geneesmiddel in het algemeen zonder bezwaar
gelijktijdig met andere medicijnen gebruiken.

Gebruik tijdens zwangerschap of borstvoeding:
Dit geneesmiddel kan, voorzover bekend, zonder bezwaar overeenkomstig de voorgeschreven dosering worden gebruikt.
Het verdient in het algemeen aanbeveling bij gebruik van
geneesmiddelen tijdens de zwangerschap en de periode waarin
borstvoeding wordt gegeven, eerst uw arts te raadplegen.

Wijze van gebruik:
Tenzij anders is voorgeschreven, 3x daags 5-10 druppels vóór
de maaltijd in wat water innemen.

Gebruiksduur:
Indien noodzakelijk kan het middel langdurig worden toegepast. Indien de klachten aanhouden is het verstandig een arts te
raadplegen.

NUX VOMICA D4

Samenstelling:
Strychnos nux vomica D4 (braaknoot).

Gebruiken bij:

Een homeopathisch geneesmiddel kan doorgaans voor zeer uiteenlopende aandoeningen worden aanbevolen. Dit middel wordt echter het meest toegepast bij:
- asthma bronchiale
- managerziekte
- nervositeit
- stress
- misselijkheid en braken
- hoofdpijn
- migraine
- maagslijmvliesontsteking
- overspannenheid
- verstopping
- acute verkoudheid.

De hierna volgende opsomming van kenmerken waarbij dit middel vooral werkzaam is, is beperkt. Genoemd zijn slechts de volgende, veel voorkomende kenmerken:

In geval van asthma bronchiale:
- overwerktheid
- een te groot verantwoordelijkheidsgevoel
- te veel werk, het zich niet los kunnen maken van het werk
- spijsverteringsproblemen (zwaar gevoel na het eten en het
- moeilijk verdragen van koffie)
- snel geïrriteerd.

In geval van managerziekte en nervositeit:
- te groot verantwoordelijkheidsgevoel
- te veel werk, het zich niet los kunnen maken van het werk
- snel geïrriteerd.

In geval van stress:
- snel geïrriteerd
- te groot verantwoordelijkheidsgevoel
- te veel werk, het zich niet los kunnen maken van het werk
- plotselinge vermoeidheid na het ontbijt.

In geval van misselijkheid en braken i.v.m. reisziekte:
- na een overvloedige maaltijd
- na het drinken van te veel koffie
- tabaksgebruik
- snel geïrriteerd.

In geval van misselijkheid en braken i.v.m. zwangerschap:
- gevoeligheid voor geluid en licht
- duizeligheid
- zure smaak in de mond
- snel geïrriteerd.

In geval van hoofdpijn en migraine:
- hoofdpijn bij het opstaan
- na veel drukte en spanningen
- gaat vaak gepaard met misselijkheid
- na veel roken of drinken.

In geval van maagslijmvliesontsteking:
- zorgen en een jachtig leven
- moeilijke stoelgang met vergeefse aandrang
- alcohol, koffie en nicotine verergeren de kwaal
- misselijkheid na het eten
- zwaar gevoel op de maag na het eten
- snel geïrriteerd.

In geval van overspannenheid:
- plotselinge vermoeidheid na het ontbijt
- een dutje doet goed
- snel geïrriteerd.

In geval van acute verkoudheid:
- neusafscheiding vooral door lage temperatuur
- neus is vooral 's nachts verstopt
- overdag juist een loopneus
- snel geïrriteerd.

Niet gebruiken bij:
Er zijn geen omstandigheden bekend waarbij het gebruik van
dit middel moet worden ontraden.

Bijwerkingen:
Van dit middel zijn geen bijwerkingen bekend.

Combinatie met andere geneesmiddelen:
U kunt dit geneesmiddel in het algemeen zonder bezwaar gelijktijdig met andere medicijnen gebruiken.

Gebruik tijdens zwangerschap of borstvoeding:
Dit geneesmiddel kan, voorzover bekend, zonder bezwaar overeenkomstig de voorgeschreven dosering worden gebruikt.
Het verdient in het algemeen aanbeveling bij gebruik van geneesmiddelen tijdens de zwangerschap en de periode waarin borstvoeding wordt gegeven, eerst uw arts te raadplegen.

Wijze van gebruik:
Tenzij anders is voorgeschreven, 3x daags 5-10 druppels vóór de maaltijd in wat water innemen.
In geval van misselijkheid en braken elk uur 5 druppels tot er verbetering optreedt. In geval van reisziekte enkele dagen voor de reis al beginnen met het innemen van Nux vomica D4 en gebruik dit ook tijdens de reis (om het uur 10 druppels).

Gebruiksduur:
Indien noodzakelijk kan het middel langdurig worden toegepast. Indien de klachten aanhouden is het verstandig een arts te raadplegen.

OVARIA SICCATA D3

Samenstelling:
Ovaria siccata D3

Gebruiken bij:
Een homeopathisch geneesmiddel kan doorgaans voor zeer uiteenlopende aandoeningen worden aanbevolen. Dit middel wordt echter het meest toegepast bij:
- onregelmatige menstruatie
- te zwakke menstruele cyclus
- gebrekkig functionerende ovaria.

Niet gebruiken bij:
Er zijn geen omstandigheden bekend waarbij het gebruik van
dit middel moet worden ontraden.

Bijwerkingen:
Van dit middel zijn geen bijwerkingen bekend.

Combinatie met andere geneesmiddelen:
U kunt dit middel in het algemeen zonder bezwaar gelijktijdig
met andere medicijnen gebruiken.

Gebruik tijdens zwangerschap of borstvoeding:
Dit geneesmiddel kan, voor zover bekend, zonder bezwaar
overeenkomstig de voorgeschreven dosering worden gebruikt.
Het verdient in het algemeen aanbeveling bij gebruik van
geneesmiddelen tijdens de zwangerschap en de periode waarin borstvoeding wordt gegeven, eerst uw arts te raadplegen.

Wijze van gebruik:
Tenzij anders is voorgeschreven, gedurende de eerste twee
weken van de cyclus , 3x daags 2 tabletten vóór de maaltijd in
de mond uiteen laten vallen. Het verdient aanbeveling dit middel 3-6 maanden lang te gebruiken.

Gebruiksduur:
Indien noodzakelijk kan het middel langdurig worden toegepast. Indien de klachten aanhouden is het verstandig een arts
te raadplegen.

OVASAN

Samenstelling:
Aristolochia clematis D12 - 14,3% (pijpbloem)
Cimicifuga racemosa D6 - 14,3% (zilverkaars)
Cyclamen europaeum D6 - 14,3% (Europese cyclamen)
Hydrastis canadensis D6 - 14,3% (Canadese geelwortel)
Lachesis mutus D10 - 14,3% (bosmeester)
Potentilla anserina D1 - 14,3% (zilverschoon)
Pulsatilla pratensis D6 - 14,2% (wildemanskruid).

Eigenschappen van de bestanddelen:
Aristolochia clematis D12 helpt bij menstruatiepijn die zich voordoet kort voor de menstruatie begint.
Cimicifuga racemosa D6 heeft een gunstige invloed op de functie van de vrouwelijke geslachtsorganen en wordt toegepast bij menstruatiepijn.
Cyclamen europaeum D6 heeft een goede invloed op de functie van de eierstokken.
Hydrastis canadensis D6 heeft een gunstig effect op het slijmvlies van baarmoeder en vagina.
Lachesis mutus D10 wordt o.a. toegepast bij menstruatiepijn.
Potentilla anserina D1 heeft door de krampopheffende eigenschappen een positieve uitwerking bij menstruatiepijn.
Pulsatilla pratensis D6 beïnvloedt de hormoonhuishouding van de eierstokken.

Gebruiken bij:
- menstruatiepijn.

Niet gebruiken bij:
Er zijn geen omstandigheden bekend waarbij het gebruik van dit middel moet worden ontraden.

Bijwerkingen:
Van dit middel zijn geen bijwerkingen bekend.

Waarschuwing!
Pijnlijke menstruatie komt vaak voor en is meestal, hoewel onaangenaam, van onschuldige aard. Bij elke verandering in de duur, heftigheid of pijnlijkheid van de menstruatie is het raadzaam een arts te raadplegen. In uitzonderlijke gevallen kunnen deze symptomen wijzen op aandoeningen die niet voor zelfmedicatie in aanmerking komen.

Combinatie met andere geneesmiddelen:
U kunt dit geneesmiddel in het algemeen zonder bezwaar gelijktijdig met andere medicijnen gebruiken.

Gebruik tijdens zwangerschap:
Dit geneesmiddel heeft, voorzover bekend, geen nadelige

gevolgen wanneer het overeenkomstig de voorgeschreven dosering werd gebruikt doordat men niet op de hoogte was van de zwangerschap.

Wijze van gebruik:
Tenzij anders is voorgeschreven, 3x daags 20 druppels ongeveer een half uur vóór de maaltijd in wat water innemen. Even in de mond houden en dan doorslikken. Bij acute klachten elk uur 20 druppels in wat water innemen, tot de klachten verminderen. Met het innemen kan op iedere willekeurige dag van de maand worden begonnen. Voor gebruik schudden.

Gebruiksduur:
Indien noodzakelijk kan het middel langdurig worden toegepast. Indien de klachten aanhouden is het verstandig een arts te raadplegen.

PAPAYAFORCE U.A.

Samenstelling:
Carica papaya 61,0 %
papainum (30.000 USP/E/mg) 2,8 %

Eigenschappen van de bestanddelen:
Carica papaya verbetert onder andere de eiwitvertering.
Papainum is een enzym dat onder andere de eiwitvertering verbetert.

Gebruiken bij:
- gebrekkige spijsvertering, in het bijzonder bij gebrekkige vertering van eiwitten.
- glutenallergie.

Niet gebruiken bij:
Er zijn geen omstandigheden bekend waarbij het gebruik van dit middel moet worden ontraden.

Bijwerkingen:
Van dit middel zijn geen bijwerkingen bekend.

Combinatie met andere geneesmiddelen:
U kunt dit middel in het algemeen zonder bezwaar gelijktijdig
met andere medicijnen gebruiken.

Gebruik tijdens zwangerschap of borstvoeding:
Dit geneesmiddel kan, voor zover bekend, zonder bezwaar
overeenkomstig de voorgeschreven dosering worden gebruikt.
Het verdient in het algemeen aanbeveling bij gebruik van
geneesmiddelen tijdens de zwangerschap en de periode waarin borstvoeding wordt gegeven, eerst uw arts te raadplegen.

Wijze van gebruik:
Tenzij anders is voorgeschreven, 3x daags 2 tabletten na de
maaltijd met wat water innemen.

Gebruiksduur:
Indien noodzakelijk kan het middel langdurig worden toegepast. Indien de klachten aanhouden is het verstandig een arts
te raadplegen.

PASSIFLORA tinctuur

Samenstelling:
Passiflora incarnata ø (vleeskleurige passiebloem).

Eigenschappen van de bestanddelen:
Passiflora incarnata ø kalmeert, ontspant en werkt slaapbevorderend.

Gebruiken bij:
- nervositeit
- slapeloosheid.

Niet gebruiken bij:
Er zijn geen omstandigheden bekend waarbij het gebruik van
dit middel moet worden ontraden.

Bijwerkingen:
Van dit middel zijn geen bijwerkingen bekend.

Combinatie met andere geneesmiddelen:
U kunt dit geneesmiddel in het algemeen zonder bezwaar
gelijktijdig met andere medicijnen gebruiken.

Gebruik tijdens zwangerschap of borstvoeding:
Dit geneesmiddel kan, voorzover bekend, zonder bezwaar overeenkomstig de voorgeschreven dosering worden gebruikt.
Het verdient in het algemeen aanbeveling bij gebruik van
geneesmiddelen tijdens de zwangerschap en de periode waarin borstvoeding wordt gegeven, eerst uw arts te raadplegen.

Wijze van gebruik:
Tenzij anders is voorgeschreven, 3x daags 20 druppels vóór de
maaltijd in wat water innemen (bij slapeloosheid mag men de
dosering verhogen tot maximaal 40 druppels voor het naar bed
gaan).

Gebruiksduur:
Indien noodzakelijk kan het middel langdurig worden toegepast. Indien de klachten aanhouden is het verstandig een arts te
raadplegen.

Bewaren:
In dit middel kan enig bezinksel ontstaan. Dit heeft geen nadelige invloed op de geneeskrachtige werking.

PASSIFLORA COMPLEX

Samenstelling:
Melissa officinalis ø - 10% (citroenmelisse)
Passiflora incarnata ø - 80% (vleeskleurige passiebloem)
Strychnos ignatii D2 - 1% (ignatiastruik)
Valeriana officinalis ø = D1 - 9% (valeriaan).

Eigenschappen van de bestanddelen:
Melissa officinalis ø kalmeert en werkt krampopheffend.
Passiflora incarnata ø kalmeert en ontspant.
Strychnos ignatii D2 helpt o.a. gemoedsstemmingen positief
te beïnvloeden.

Valeriana officinalis ø = D1 ontspant, werkt kalmerend op het centrale zenuwstelsel en vermindert het beven als gevolg van nervositeit.

Gebruiken bij:
- nervositeit (alle vormen)
- tremor als gevolg van nervositeit
- hyperventilatie
- examenvrees.

Niet gebruiken bij:
Er zijn geen omstandigheden bekend waarbij het gebruik van dit middel moet worden ontraden.

Bijwerkingen:
Van dit middel zijn geen bijwerkingen bekend.

Combinatie met andere geneesmiddelen:
U kunt dit geneesmiddel in het algemeen zonder bezwaar gelijktijdig met andere medicijnen gebruiken.

Gebruik tijdens zwangerschap of borstvoeding:
Dit geneesmiddel kan, voorzover bekend, zonder bezwaar over-eenkomstig de voorgeschreven dosering worden gebruikt.
Het verdient in het algemeen aanbeveling bij gebruik van geneesmiddelen tijdens de zwangerschap en de periode waar-in borstvoeding wordt gegeven, eerst uw arts te raadplegen.

Wijze van gebruik:
Tenzij anders is voorgeschreven, 3x daags 20 druppels vóór de maaltijd in wat water innemen.

Gebruiksduur:
Indien noodzakelijk kan het middel langdurig worden toege-past. Indien de klachten aanhouden is het verstandig een arts te raadplegen.

Bewaren:
In dit middel kan enig bezinksel ontstaan. Dit heeft geen nade-lige invloed op de geneeskrachtige werking.

PASSIFLORA COMPLEX tabletten

Samenstelling:
1 tablet bevat de werkzame bestanddelen van 10 druppels
Passiflora complex.
Samenstelling: Passiflora complex (druppels):
Melissa officinalis ø - 10% (citroenmelisse)
Passiflora incarnata ø - 80% (vleeskleurige passiebloem)
Strychnos ignatii D2 - 1% (ignatiastruik)
Valeriana officinalis ø = D1 - 9% (valeriaan).

Eigenschappen van de bestanddelen:
Melissa officinalis ø kalmeert en werkt krampopheffend.
Passiflora incarnata ø kalmeert en ontspant.
Strychnos ignatii D2 helpt o.a. gemoedsstemmingen positief
te beïnvloeden
Valeriana officinalis ø = D1 ontspant, werkt kalmerend op het
centrale zenuwstelsel en vermindert het beven als gevolg van
nervositeit.

Gebruiken bij:
- nervositeit (alle vormen)
- tremor als gevolg van nervositeit
- hyperventilatie
- examenvrees.

Niet gebruiken bij:
Er zijn geen omstandigheden bekend waarbij het gebruik van
dit middel moet worden ontraden.

Bijwerkingen:
Van dit middel zijn geen bijwerkingen bekend.

Combinatie met andere geneesmiddelen:
U kunt dit geneesmiddel in het algemeen zonder bezwaar
gelijktijdig met andere medicijnen gebruiken.

Gebruik tijdens zwangerschap of borstvoeding:
Dit geneesmiddel kan, voorzover bekend, zonder bezwaar overeenkomstig de voorgeschreven dosering worden gebruikt.

Het verdient in het algemeen aanbeveling bij gebruik van geneesmiddelen tijdens de zwangerschap en de periode waarin borstvoeding wordt gegeven, eerst uw arts te raadplegen.

Wijze van gebruik:
Tenzij anders is voorgeschreven, 3x daags 2 tabletten vóór de maaltijd met wat water innemen.

Gebruiksduur:
Indien noodzakelijk kan het middel langdurig worden toegepast. Indien de klachten aanhouden is het verstandig een arts te raadplegen.

PETASANSIROOP

Samenstelling:
Petasites hybridus extr. - 0,5% (groot hoefblad)
Picea abies extr. - 11,5% (fijnspar)
siroopbasis ad 100%.

Eigenschappen van de bestanddelen:
Petasites hybridus extr. werkt pijnstillend, krampopheffend en slijmoplossend.
Picea abies extr. werkt verzachtend, ontstekingremmend, slijmvliesbeschermend en bevordert het ophoesten van slijm.
De siroopbasis bevat perenconcentraat, ruwe rietsuiker en koudgeslingerde honing.

Gebruiken bij:
- krampachtige benauwde hoest.

Niet gebruiken bij:
Er zijn geen omstandigheden bekend waarbij het gebruik van dit middel moet worden ontraden.

Waarschuwing!
Dit product bevat suiker; suikerpatiënten dienen hiermee rekening te houden (1 dessertlepel à ± 8 ml bevat ca. 165 kJ).

Bijwerkingen:
Van dit middel zijn geen bijwerkingen bekend.

Combinatie met andere geneesmiddelen:
U kunt dit geneesmiddel in het algemeen zonder bezwaar gelijktijdig met andere medicijnen gebruiken.

Gebruik tijdens zwangerschap of borstvoeding:
Dit geneesmiddel kan, voorzover bekend, zonder bezwaar overeenkomstig de voorgeschreven dosering worden gebruikt.
Het verdient in het algemeen aanbeveling bij gebruik van geneesmiddelen tijdens de zwangerschap en de periode waarin borstvoeding wordt gegeven, eerst uw arts te raadplegen.

Wijze van gebruik:
Tenzij anders is voorgeschreven, enige malen per dag 1 dessertlepel (à ± 8 ml) in wat warm water innemen.

Gebruiksduur:
Indien noodzakelijk kan het middel langdurig worden toegepast. Indien de klachten aanhouden is het verstandig een arts te raadplegen.

PETASIN capsules

Samenstelling:
Petasites hybridus extr. (groot hoefblad).

Eigenschappen van de bestanddelen:
Petasites hybridus extr. werkt pijnstillend en krampopheffend.

Gebruiken bij:
- pijn
- krampen
- bronchiale klachten.

Niet gebruiken bij:
Er zijn geen omstandigheden bekend waarbij het gebruik van dit middel moet worden ontraden.

Bijwerkingen:
Van dit middel zijn geen bijwerkingen bekend.

Combinatie met andere geneesmiddelen:
U kunt dit geneesmiddel in het algemeen zonder bezwaar gelijktijdig met andere medicijnen gebruiken.

Gebruik tijdens zwangerschap of borstvoeding:
Dit geneesmiddel kan, voorzover bekend, zonder bezwaar overeenkomstig de voorgeschreven dosering worden gebruikt.
Het verdient in het algemeen aanbeveling bij gebruik van geneesmiddelen tijdens de zwangerschap en de periode waarin borstvoeding wordt gegeven, eerst uw arts te raadplegen.

Wijze van gebruik:
Tenzij anders is voorgeschreven, 3x daags 2-3 capsules vóór de maaltijd met wat water innemen. In geval van een astma-aanval: elk uur 2 capsules tot verbetering optreedt.

Gebruiksduur:
Indien noodzakelijk kan het middel langdurig worden toegepast. Indien de klachten aanhouden is het verstandig een arts te raadplegen.

PETASITES tinctuur

Samenstelling:
Petasites hybridus ø (groot hoefblad).

Eigenschappen van de bestanddelen:
Petasites hybridus ø werkt pijnstillend, krampopheffend en slijmoplossend.

Gebruiken bij:
- hoofdpijn
- menstruatiepijn
- bronchiale klachten met krampen
- maag- en darmklachten.

Niet gebruiken bij:
Er zijn geen omstandigheden bekend waarbij het gebruik van
dit middel moet worden ontraden.

Bijwerkingen:
Van dit middel zijn geen bijwerkingen bekend.

Combinatie met andere geneesmiddelen:
U kunt dit geneesmiddel in het algemeen zonder bezwaar
gelijktijdig met andere medicijnen gebruiken.

Gebruik tijdens zwangerschap of borstvoeding:
Dit geneesmiddel kan, voorzover bekend, zonder bezwaar overeenkomstig de voorgeschreven dosering worden gebruikt.
Het verdient in het algemeen aanbeveling bij gebruik van
geneesmiddelen tijdens de zwangerschap en de periode waarin borstvoeding wordt gegeven, eerst uw arts te raadplegen.

Wijze van gebruik:
Tenzij anders is voorgeschreven, 3x daags 10-20 druppels vóór
de maaltijd in wat water innemen.

Gebruiksduur:
Indien noodzakelijk kan het middel langdurig worden toegepast.
Indien de klachten aanhouden is het verstandig een arts te raad-
plegen.

Bewaren:
In dit middel kan enig bezinksel ontstaan. Dit heeft geen nadelige invloed op de geneeskrachtige werking.

PETASITES COMPLEX

Samenstelling:
Petasites hybridus ø - 10% (groot hoefblad)
Viscum album ø - 90% (maretak).

Eigenschappen van de bestanddelen:
Petasites hybridus ø werkt pijnstillend en krampopheffend.
Viscum album (wordt van oudsher toegepast bij tumoren.

Gebruiken bij:
- pijn
- krampen.

Niet gebruiken bij:
Er zijn geen omstandigheden bekend waarbij het gebruik van dit middel moet worden ontraden.

Bijwerkingen:
Van dit middel zijn geen bijwerkingen bekend.

Combinatie met andere geneesmiddelen:
U kunt dit geneesmiddel in het algemeen zonder bezwaar gelijktijdig met andere medicijnen gebruiken.

Gebruik tijdens zwangerschap of borstvoeding:
Dit geneesmiddel kan, voorzover bekend, zonder bezwaar overeenkomstig de voorgeschreven dosering worden gebruikt.
Het verdient in het algemeen aanbeveling bij gebruik van geneesmiddelen tijdens de zwangerschap en de periode waarin borstvoeding wordt gegeven, eerst uw arts te raadplegen.

Wijze van gebruik:
Tenzij anders is voorgeschreven, 3-5x daags 10 druppels in wat water innemen.

Gebruiksduur:
Indien noodzakelijk kan het middel langdurig worden toegepast. Indien de klachten aanhouden is het verstandig een arts te raadplegen.

Bewaren:
In dit middel kan enig bezinksel ontstaan. Dit heeft geen nadelige invloed op de geneeskrachtige werking.

PLANTAGO tinctuur

Samenstelling:
Plantago lanceolata ø (smalle weegbree).

Eigenschappen van de bestanddelen:
Plantago lanceolata ø werkt o.a. antibacterieel.

Gebruiken bij:
- oorpijn
- uitwendige oorontsteking
- middenoorontsteking
- hardhorendheid als gevolg van een oorontsteking.

Niet gebruiken bij:
Er zijn geen omstandigheden bekend waarbij het gebruik van
dit middel moet worden ontraden.

Bijwerkingen:
Van dit middel zijn geen bijwerkingen bekend.

Waarschuwing!
Oorpijn, veroorzaakt door een middenoorontsteking, dient
direct onder de aandacht van een arts te worden gebracht!

Combinatie met andere geneesmiddelen:
U kunt dit geneesmiddel in het algemeen zonder bezwaar
gelijktijdig met andere medicijnen gebruiken.

Gebruik tijdens zwangerschap of borstvoeding:
Dit geneesmiddel kan, voorzover bekend, zonder bezwaar overeenkomstig de voorgeschreven dosering worden gebruikt.
Het verdient in het algemeen aanbeveling bij gebruik van
geneesmiddelen tijdens de zwangerschap en de periode waarin borstvoeding wordt gegeven, eerst uw arts te raadplegen.

Wijze van gebruik:
Tenzij anders is voorgeschreven, 3x daags 10 druppels vóór de
maaltijd in wat water innemen. Uitwendig: 2x daags 1 druppel
in het oor, of door middel van enkele druppels op een watje.

Opmerking:
Wanneer er een gaatje in het trommelvlies zit, kunnen druppels
het gevoelige middenoor beschadigen. De huisarts kan dit een-

voudig vaststellen. Wanneer het trommelvlies intact is, kan dit advies zonder problemen worden toegepast.

Gebruiksduur:
Indien noodzakelijk kan het middel langdurig worden toegepast. Indien de klachten aanhouden is het verstandig een arts te raadplegen.

Bewaren:
In dit middel kan enig bezinksel ontstaan. Dit heeft geen nadelige invloed op de geneeskrachtige werking.

PO-HO-OLIE

Samenstelling:
Carvi oleum - 4% (karwijzaadolie)
Eucalyptus globulus oleum - 30% (eucalyptusolie)
Foeniculum vulgare oleum - 2% (venkelolie)
Juniperus communis oleum - 14% (jeneverbesolie)
Mentha piperita oleum - 50% (pepermuntolie).

Eigenschappen van de bestanddelen:
Carvi oleum en Juniperus communis oleum werken ontspannend.
Eucalyptus globulus oleum werkt antiseptisch en stimuleert het uitdrijven van slijm.
Foeniculum vulgare oleum werkt slijmoplossend.
Mentha piperita oleum vergemakkelijkt het ophoesten van slijm en heeft een pijnstillend effect.

Gebruiken bij:
- neusverkoudheid
- ter ondersteuning bij de behandeling van voorhoofdsholte-
- en bijholteontsteking
- middenoorontsteking en strottenhoofdontsteking
- hoofdpijn.
Niet gebruiken bij:
Zwangerschap.

Bijwerkingen:
Van dit middel zijn geen bijwerkingen bekend.

Waarschuwing!
Niet aanbrengen in de directe omgeving van neus en ogen.
Niet toepassen bij kinderen onder de 4 jaar.
Niet innemen.

Combinatie met andere geneesmiddelen:
U kunt dit geneesmiddel in het algemeen zonder bezwaar
gelijktijdig met andere medicijnen gebruiken.

Wijze van gebruik:
Tenzij anders is voorgeschreven, enige malen per dag stomen
met 3-5 druppels op een liter heet water of kamillethee (met
een doek over het hoofd) inhaleren. Bij hoofdpijn enkele
druppels op de slapen wrijven.

POLLINOSAN

Samenstelling:
Ammi visnaga ø = D1 - 14,2% (bisschopskruid)
Aralia racemosa D2 - 14,3% (Amerikaanse nardus)
Cardiospermum halicacabum D2 - 14,3% (ballonplant)
Larrea mexicana D2 - 14,3% (creosootstruik)
Luffa operculata D6 - 14,3% (luffa)
Okoubaka aubrevillei D2 - 14,3% (okoubaka)
Thryallis glauca D3 - 14,3% (thryallis).

Eigenschappen van de bestanddelen:
Ammi visnaga ø = D1 ontspant de gladde spieren van de
luchtwegen en wordt daarom toegepast bij overprikkeling van
de bronchiën.
Aralia racemosa D2 heeft een gunstig ef
vliezen van de luchtwegen en vergemakkelijkt het ophoesten.
Cardiospermum halicacabum D2 helpt o.a. allergische reacties
en jeuk te verminderen.
Larrea mexicana D2 helpt o.a. bij allergische verkoudheidsverschijnselen en voorkomt infecties aan de slijmvliezen.

Luffa operculata D6 helpt o.a. bij allergische verkoudheids-verschijnselen.
Okoubaka aubrevillei D2 beschermt tegen infecties bij aantasting van de slijmvliezen.
Thryallis glauca D3 voorkomt hooikoorts en geneest allergische aandoeningen van neus en luchtwegen.

Gebruiken bij:
- allergie
- allergische verkoudheidsverschijnselen
- hooikoorts
- huisstofallergie
- allergie voor huidschilfers of haren van dieren.

Niet gebruiken bij:
Er zijn geen omstandigheden bekend waarbij het gebruik van dit middel moet worden ontraden.

Bijwerkingen:
Van dit middel zijn geen bijwerkingen bekend.

Combinatie met andere geneesmiddelen:
U kunt dit geneesmiddel in het algemeen zonder bezwaar gelijktijdig met andere medicijnen gebruiken.

Gebruik tijdens zwangerschap of borstvoeding:
Dit geneesmiddel kan, voorzover bekend, zonder bezwaar overeenkomstig de voorgeschreven dosering worden gebruikt.
Het verdient in het algemeen aanbeveling bij gebruik van geneesmiddelen tijdens de zwangerschap en de periode waarin borstvoeding wordt gegeven, eerst uw arts te raadplegen.

Wijze van gebruik:
Tenzij anders is voorgeschreven, 3x daags, in acute gevallen elk uur, 20 druppels in wat water innemen. Even in de mond houden en dan doorslikken. Bij hooikoorts verdient het aanbeveling Pollinosan reeds 2 weken voor het begin van de hooikoortsperiode te gaan gebruiken.

Gebruiksduur:
Indien noodzakelijk kan het middel langdurig worden toegepast. Indien de klachten aanhouden is het verstandig een arts te raadplegen.

POLLINOSAN tabletten

Samenstelling:
1 tablet bevat de werkzame bestanddelen van 10 druppels Pollinosan. Samenstelling van Pollinosan (druppels):
Ammi visnaga ø = D1 - 14,2% (bisschopskruid)
Aralia racemosa D2 - 14,3% (Amerikaanse nardus)
Cardiospermum halicacabum D2 - 14,3% (ballonplant)
Larrea mexicana D2 - 14,3% (creosootstruik)
Luffa operculata D6 - 14,3% (luffa)
Okoubaka aubrevillei D2 - 14,3% (okoubaka)
Thryallis glauca D3 - 14,3% (thryallis).

Eigenschappen van de bestanddelen:
Ammi visnaga ø = D1 ontspant de gladde spieren van de luchtwegen en wordt daarom toegepast bij overprikkeling van de bronchiën.
Aralia racemosa D2 heeft een gunstig effect op o.a. de slijmvliezen van de luchtwegen en vergemakkelijkt het ophoesten.
Cardiospermum halicacabum D2 helpt o.a. allergische reacties en jeuk te verminderen.
Larrea mexicana D2 helpt o.a. bij allergische verkoudheidsverschijnselen en voorkomt infecties aan de slijmvliezen.
Luffa operculata D6 helpt o.a. bij allergische verkoudheidsverschijnselen.
Okoubaka aubrevillei D2 beschermt tegen infecties bij aantasting van de slijmvliezen.
Thryallis glauca D3 voorkomt hooikoorts en geneest allergische aandoeningen van neus en luchtwegen.

Gebruiken bij:
- allergie
- allergische verkoudheidsverschijnselen
- hooikoorts

- huisstofallergie
- allergie voor huidschilfers of haren van dieren.

Niet gebruiken bij:
Er zijn geen omstandigheden bekend waarbij het gebruik van dit middel moet worden ontraden.

Bijwerkingen:
Van dit middel zijn geen bijwerkingen bekend.

Combinatie met andere geneesmiddelen:
U kunt dit geneesmiddel in het algemeen zonder bezwaar gelijktijdig met andere medicijnen gebruiken.

Gebruik tijdens zwangerschap of borstvoeding:
Dit geneesmiddel kan, voorzover bekend, zonder bezwaar overeenkomstig de voorgeschreven dosering worden gebruikt. Het verdient in het algemeen aanbeveling bij gebruik van geneesmiddelen tijdens de zwangerschap en de periode waarin borstvoeding wordt gegeven, eerst uw arts te raadplegen.

Wijze van gebruik:
Tenzij anders is voorgeschreven, 3x daags, in acute gevallen elk uur, 2 tabletten in de mond uiteen laten vallen. Bij hooikoorts verdient het aanbeveling Pollinosan reeds 2 weken voor het begin van de hooikoortsperiode te gaan gebruiken.

Gebruiksduur:
Indien noodzakelijk kan het middel langdurig worden toegepast. Indien de klachten aanhouden is het verstandig een arts te raadplegen.

PROSTAFORCE

Samenstelling:
1 capsule bevat 320,00 mg ingedikt extract Serenoa repens (dwergpalm).

Eigenschappen van de bestanddelen:
Serenoa repens werkt ontstekingremmend bij prostaatontsteking en vermindert de zwelling van de prostaat.
Vervaardigd uit ecologisch gekweekte vruchten.

Gebruiken bij:
Ter behandeling en voorkoming van prostaatklachten.

Niet gebruiken bij:
Er zijn geen omstandigheden bekend waarbij het gebruik van dit middel moet worden ontraden.

Bijwerkingen:
Van dit middel zijn geen bijwerkingen bekend.

Combinatie met andere geneesmiddelen:
U kunt dit geneesmiddel in het algemeen zonder bezwaar gelijktijdig met andere medicijnen gebruiken.

Wijze van gebruik:
Tenzij anders is voorgeschreven éénmaal daags na het eten met niet-bruisend water innemen. Bij inname met koolzuurhoudende dranken bestaat het risico van oprispingen.

Gebruiksduur:
Indien noodzakelijk kan het middel langdurig worden toegepast. Indien de klachten aanhouden, is het verstandig een arts te raadplegen.

PULSATILLA D6

Samenstelling:
Pulsatilla pratensis D6 (wildemanskruid).

Gebruiken bij:
Een homeopathisch geneesmiddel kan doorgaans voor zeer uiteenlopende aandoeningen worden aanbevolen. Dit middel wordt echter het meest toegepast bij:
- hoofdpijn/migraine

- gewrichtspijn
- onregelmatige menstruatie
- premenstrueel syndroom
- te zwakke menstruatie
- spataderen
- chronische middenoorontsteking
- witte vloed
- acute verkoudheid.

De hierna volgende opsomming van kenmerken waarbij dit
middel vooral werkzaam is, is beperkt. Genoemd zijn slechts
de volgende, veel voorkomende kenmerken:
- emotioneel, gauw in tranen
- vet eten wordt slecht verdragen
- klachten verminderen door een wandeling in de frisse lucht
  en verergeren bij rust en warmte.

In geval van hoofdpijn en migraine:
- bij barstende hoofdpijn die door hoesten verergert
- verbetert door beweging en frisse lucht
- klachten vooral 's avonds en voor en na de menstruatie.

In geval van gewrichtspijn:
- stekende pijnen, wisselen vaak van plaats
- gaat soms gepaard met koorts.

*In geval van onregelmatige menstruatie en premenstrueel
syndroom:*
- menstruatie komt te laat en is te kort
- patiënte is emotioneel (snel in tranen, wisselende
  stemmingen)
- patiënte heeft behoefte aan troost.

In geval van te zwakke menstruatie:
- menstruatie komt te laat en is te kort
- patiënte is emotioneel (snel in tranen, wisselende
  stemmingen)
- patiënte heeft behoefte aan troost
- diarree wisselt met verstopping
- nooit dorst.

In geval van spataderen:
- stuwingen in de aderen
- paarse verkleuring van vingers en tenen
- patiënt verdraagt slecht warmte
- patiënt is het liefst in beweging
- last van oedemen.

In geval van chronische middenoorontsteking:
- alle slijmvliezen zijn aangetast
- dikke, geelachtige, niet-etsende oorvloed
- gezwollen, heet en rood uitwendig oor
- patiënt voelt zich beter door frisse lucht
- patiënt voelt zich slechter in een warme kamer en 's avonds
- patiënt heeft behoefte aan troost en aandacht.

In geval van witte vloed:
- dikke, zachte, roomachtige afscheiding, die na kouvatten
  toeneemt
- jonge meisjes met veel afscheiding vlak voor de menstruatie.

In geval van acute verkoudheid:
- geelgekleurde, niet-etsende neusafscheiding
- opvallend verlies reukvermogen
- 's avonds verstopte neus, 's morgens open
- patiënt is vaak een emotioneel gevoelig type.

Waarschuwing!
Bij menstruatiestoornissen en gewrichtspijn die van plaats
wisselt is het verstandig een arts te raadplegen.

Niet gebruiken bij:
Er zijn geen omstandigheden bekend waarbij het gebruik van
dit middel moet worden ontraden.

Bijwerkingen:
Van dit middel zijn geen bijwerkingen bekend.

Combinatie met andere geneesmiddelen:
U kunt dit geneesmiddel in het algemeen zonder bezwaar
gelijktijdig met andere medicijnen gebruiken.

Gebruik tijdens zwangerschap of borstvoeding:
Dit geneesmiddel kan, voorzover bekend, zonder bezwaar overeenkomstig de voorgeschreven dosering worden gebruikt.
Het verdient in het algemeen aanbeveling bij gebruik van
geneesmiddelen tijdens de zwangerschap en de periode waarin borstvoeding wordt gegeven, eerst uw arts te raadplegen.

Wijze van gebruik:
Tenzij anders is voorgeschreven, 3x daags 5-10 druppels vóór
de maaltijd in wat water innemen. In geval van hoofdpijn en
migraine elk uur 5 druppels tot er verbetering optreedt. In geval
van acute verkoudheid elke 2 uur 10 druppels.

Gebruiksduur:
Indien noodzakelijk kan het middel langdurig worden toegepast. Indien de klachten aanhouden is het verstandig een arts
te raadplegen.

RHUS TOXICODENDRON D4

Samenstelling:
Rhus toxicodendron D4 (gifsumak).

Gebruiken bij:
Een homeopathisch geneesmiddel kan doorgaans voor zeer
uiteenlopende aandoeningen worden aanbevolen. Dit middel
wordt echter het meest toegepast bij:
- gewrichtspijn
- artritis
- hernia
- gordelroos
- huiduitslag
- griep
- koorts
- waterpokken
- stijve nek
- spit
- spierpijn
- eczeem.

De hierna volgende opsomming van kenmerken waarbij dit middel vooral werkzaam is, is beperkt. Genoemd zijn slechts de volgende, veel voorkomende kenmerken:
- klachten verergeren door koud, nat weer, 's nachts en tijdens rust
- klachten verbeteren door in beweging te zijn.

In geval van artritis:
- pijn en stijfheid die verergeren door vocht of kou
- 'startpijn', wanneer (vooral 's morgens en na lang stilzitten)
- het in-beweging-komen pijnlijk is.

In geval van hernia:
- stijf gevoel, vooral na het zitten, lang gebogen staan of na het ontwaken ('startpijn')
- zeer pijnlijk gevoel in het onderste deel van de rug
- verbetering na de eerste pijnlijke bewegingen
- patiënt wil voortdurend van houding veranderen.

In geval van gordelroos:
- patiënt kan het in bed niet uithouden
- patiënt is rusteloos
- er is sprake van brandende, jeukende blaasjes die 's nachts
- pijnlijker zijn dan overdag.

In geval van huiduitslag:
- verergert bij koud en vochtig weer
- brandende, jeukende blaasjes met een vochtige inhoud.

In geval van griep en koorts:
- patiënt is erg onrustig, rusteloos
- spierpijn en stijfheid na lang liggen
- koorts 's morgens hoger
- (vaak) bij infectieziekten die het gevolg zijn van doornat worden.

Niet gebruiken bij:
Er zijn geen omstandigheden bekend waarbij het gebruik van dit middel moet worden ontraden.

Bijwerkingen:
Van dit middel zijn geen bijwerkingen bekend.

Combinatie met andere geneesmiddelen:
U kunt dit geneesmiddel in het algemeen zonder bezwaar gelijktijdig met andere medicijnen gebruiken.

Gebruik tijdens zwangerschap of borstvoeding:
Dit geneesmiddel kan, voorzover bekend, zonder bezwaar overeenkomstig de voorgeschreven dosering worden gebruikt. Het verdient in het algemeen aanbeveling bij gebruik van geneesmiddelen tijdens de zwangerschap en de periode waarin borstvoeding wordt gegeven, eerst uw arts te raadplegen.

Wijze van gebruik:
Tenzij anders voorgeschreven, 3x daags 5-10 druppels vóór de maaltijd in wat water innemen.

Gebruiksduur:
Indien noodzakelijk kan het middel langdurig worden toegepast. Indien de klachten aanhouden is het verstandig een arts te raadplegen.

SABAL D3

Samenstelling:
Serenoa repens D3 (dwergpalm).

Gebruiken bij:
Een homeopathisch geneesmiddel kan doorgaans voor zeer uiteenlopende aandoeningen worden aanbevolen. Dit middel wordt echter het meest toegepast bij:
- prostaatklachten
- blaasontsteking.

De hierna volgende opsomming van kenmerken waarbij dit middel vooral werkzaam is, is beperkt. Genoemd zijn slechts de volgende veel voorkomende kenmerken:

In geval van prostaatklachten en blaasontsteking:
- stekende pijn bij het plassen.

Waarschuwing!
Bij prostaatklachten en blaasontsteking is het verstandig een
arts te raadplegen.

Niet gebruiken bij:
Er zijn geen omstandigheden bekend waarbij het gebruik van
dit middel moet worden ontraden.

Bijwerkingen:
Van dit middel zijn geen bijwerkingen bekend.

Combinatie met andere geneesmiddelen:
U kunt dit geneesmiddel in het algemeen zonder bezwaar
gelijktijdig met andere medicijnen gebruiken.

Gebruik tijdens zwangerschap of borstvoeding:
Dit geneesmiddel kan, voorzover bekend, zonder bezwaar
overeenkomstig de voorgeschreven dosering worden gebruikt.
Het verdient in het algemeen aanbeveling bij gebruik van
geneesmiddelen tijdens de zwangerschap en de periode waarin borstvoeding wordt gegeven, eerst uw arts te raadplegen.

Wijze van gebruik:
Tenzij anders is voorgeschreven, 3x daags 5-10 druppels vóór
de maaltijd in wat water innemen.

Gebruiksduur:
Indien noodzakelijk kan het middel langdurig worden toegepast. Indien de klachten aanhouden is het verstandig een arts
te raadplegen.

SABAL COMPLEX

Samenstelling:
Delphinium staphisagria ø = D1 - 0,5% (staverkruid)
Echinacea purpurea ø - 2,0% (rode zonnehoed)

Populus tremula ø - 1,5% (ratelpopulier)
Serenoa repens ø - 93,0% (dwergpalm)
Solidago virgaurea ø - 3,0% (echte guldenroede).

Eigenschappen van de bestanddelen:
Delphinium staphisagria ø = D1 helpt o.a. bij een zwakke blaas.
Echinacea purpurea ø verhoogt de weerstand tegen bacteriële en virale infecties en voorkomt dat infecties zich uitbreiden.
Populus tremula ø werkt ontstekingremmend en heeft een pijnstillende en een zwak urinedrijvende werking.
Serenoa serrulata ø werkt ontstekingremmend bij prostaatontsteking en vermindert de zwelling van de prostaat.
Solidago virgaurea ø werkt ontstekingremmend, remt de bacteriegroei en heeft een krampopheffend en urinedrijvend effect.

Gebruiken bij:
- behandeling en voorkoming van prostaatklachten.

Niet gebruiken bij:
Er zijn geen omstandigheden bekend waarbij het gebruik van dit middel moet worden ontraden.

Bijwerkingen:
Van dit middel zijn geen bijwerkingen bekend.

Combinatie met andere geneesmiddelen:
U kunt dit geneesmiddel in het algemeen zonder bezwaar gelijktijdig met andere medicijnen gebruiken.

Wijze van gebruik:
Tenzij anders is voorgeschreven, 3x daags 10-15 druppels vóór de maaltijd in wat water innemen.

Waarschuwing!
Bij prostaatklachten is het verstandig een arts te raadplegen.

Gebruiksduur:
Indien noodzakelijk kan het middel langdurig worden toege-

past. Indien de klachten aanhouden is het verstandig een arts
te raadplegen.

Bewaren:
In dit middel kan enig bezinksel ontstaan. Dit heeft geen nadelige invloed op de geneeskrachtige werking.

SALVIA tinctuur

Samenstelling:
Salvia officinalis ø (echte salie).

Eigenschappen van de bestanddelen:
Salvia officinalis ø heeft een ontstekingremmende en antiseptische werking, vermindert het transpireren en remt bij borstvoeding de melkproductie.

Gebruiken bij:
- overmatige transpiratie
- onaangename lichaamsgeur
- mondslijmvliesontsteking
- het stoppen van de borstvoeding
- tand- en kiespijn na extractie
- tandvleesontsteking.

Niet gebruiken bij:
Borstvoeding, tenzij u hiermee juist wilt stoppen.

Bijwerkingen:
Van dit middel zijn bij de aangegeven dosering geen bijwerkingen bekend.

Combinatie met andere geneesmiddelen:
U kunt dit geneesmiddel in het algemeen zonder bezwaar
gelijktijdig met andere medicijnen gebruiken.

Gebruik tijdens zwangerschap:
Dit geneesmiddel kan, voorzover bekend, zonder bezwaar
overeenkomstig de voorgeschreven dosering worden gebruikt.

Het verdient in het algemeen aanbeveling bij gebruik van geneesmiddelen tijdens de zwangerschap eerst uw arts te raadplegen.

Wijze van gebruik:
Tenzij anders is voorgeschreven, 3x daags 5-10 druppels vóór de maaltijd in wat water innemen. Bij tandvleesontsteking: het tandvlees enige malen per dag met enkele druppels zachtjes inwrijven. Bij mondslijmvliesontsteking: over de dag verdeeld enige malen spoelen met een oplossing van 50 druppels op een half glas water of kamillethee.

Gebruiksduur:
Indien noodzakelijk kan het middel langdurig worden toegepast. Indien de klachten aanhouden is het verstandig een arts te raadplegen.

Bewaren:
In dit middel kan enig bezinksel ontstaan. Dit heeft geen nadelige invloed op de geneeskrachtige werking.

SANGUINARIA D4

Samenstelling:
Sanguinaria canadensis D4 (Canadese bloedwortel).

Gebruiken bij:
Een homeopathisch geneesmiddel kan doorgaans voor zeer uiteenlopende aandoeningen worden aanbevolen. Dit middel wordt echter het meest toegepast bij:
- hoofdpijn
- migraine
- overgangsklachten.

De hierna volgende opsomming van kenmerken waarbij dit middel vooral werkzaam is, is beperkt. Genoemd zijn slechts de volgende veel voorkomende kenmerken:
- branderig gevoel aan handen en voeten vooral 's nachts rood
- gezicht en stuwingen naar het hoofd.

In geval van hoofdpijn en migraine:
- hoofdpijn rechtszijdig (boven het oog)
- kloppend van karakter
- 'weekend-hoofdpijn'.

Niet gebruiken bij:
Er zijn geen omstandigheden bekend waarbij het gebruik van dit middel moet worden ontraden.

Bijwerkingen:
Van dit middel zijn geen bijwerkingen bekend.

Combinatie met andere geneesmiddelen:
U kunt dit geneesmiddel in het algemeen zonder bezwaar gelijktijdig met andere medicijnen gebruiken.

Gebruik tijdens zwangerschap of borstvoeding:
Dit geneesmiddel kan, voorzover bekend, zonder bezwaar overeenkomstig de voorgeschreven dosering worden gebruikt. Het verdient in het algemeen aanbeveling bij gebruik van geneesmiddelen tijdens de zwangerschap en de periode waarin borstvoeding wordt gegeven, eerst uw arts te raadplegen.

Wijze van gebruik:
Tenzij anders is voorgeschreven, 3x daags 5-10 druppels vóór de maaltijd in wat water innemen. In geval van hoofdpijn en migraine elk uur 5 druppels tot er verbetering optreedt.

Gebruiksduur:
Indien noodzakelijk kan het middel langdurig worden toegepast. Indien de klachten aanhouden is het verstandig een arts te raadplegen.

SANTASAPINA

Samenstelling:
Picea abies extr. - 11,8% (fijnspar).
siroopbasis

Eigenschappen van de bestanddelen:

Picea abies extr. werkt verzachtend, ontstekingremmend, slijmvliesbeschermend en bevordert het ophoesten van slijm. De siroopbasis bevat perenconcentraat, ruwe rietsuiker en koudgeslingerde honing.

Gebruiken bij:
- droge of prikkelhoest
- heesheid
- strottenhoofdontsteking
- geïrriteerd slijmvlies in mond en keelholte.

Niet gebruiken bij:
Er zijn geen omstandigheden bekend waarbij het gebruik van dit middel moet worden ontraden.

Waarschuwing!
Dit produkt bevat suiker; suikerpatiënten dienen hier rekening mee te houden (1 dessertlepel à ± 8 ml bevat 165 kJ).

Bijwerkingen:
Van dit middel zijn geen bijwerkingen bekend.

Combinatie met andere geneesmiddelen:
U kunt dit geneesmiddel in het algemeen zonder bezwaar gelijktijdig met andere medicijnen gebruiken.

Gebruik tijdens zwangerschap of borstvoeding:
Dit geneesmiddel kan, voorzover bekend, zonder bezwaar overeenkomstig de voorgeschreven dosering worden gebruikt. Het verdient in het algemeen aanbeveling bij gebruik van geneesmiddelen tijdens de zwangerschap en de periode waar-in borstvoeding wordt gegeven, eerst uw arts te raadplegen.

Wijze van gebruik:
Tenzij anders is voorgeschreven, meerdere malen per dag 1 dessertlepel (à ± 8 ml) in wat warm water innemen.

Gebruiksduur:
Indien noodzakelijk kan het middel langdurig worden toege-

past. Indien de klachten aanhouden is het verstandig een arts te raadplegen.

SEPIA D6

Samenstelling:
Sepia officinalis D6 (inktklier van de inktvis).

Gebruiken bij:
Een homeopathisch geneesmiddel kan doorgaans voor zeer uiteenlopende aandoeningen worden aanbevolen. Dit middel wordt echter het meest toegepast bij:
- migraine/hoofdpijn
- overgangsklachten zoals neerslachtigheid
- postnatale depressie
- witte vloed.

De hierna volgende opsomming van kenmerken waarbij dit middel vooral werkzaam is, is beperkt. Genoemd zijn slechts de volgende, veel voorkomende kenmerken:
- gevoelige en kwetsbare vrouwen en meisjes
- prikkelbaar
- koude voeten en handen
- klachten verminderen bij warmte en verergeren vóór en
- tijdens de menstruatie
- neerslachtigheid.

In geval van hoofdpijn/migraine:
- hoofdpijn tijdens de menstruatie
- neerslachtigheid.

In geval van postnatale depressie:
- vermoeid en depressief
- patiënte is onverschillig ten opzichte van de echtgenoot en de baby
- patiënte wil geen lichamelijk contact met de baby (ziet tegen het voeden op)
- patiënte heeft vaak last van koude voeten.

In geval van witte vloed:
- kwalijk riekende geelgroene afscheiding
- branderig gevoel in de vagina
- meer last van de afscheiding vlak voor de menstruatie.

Niet gebruiken bij:
Er zijn geen omstandigheden bekend waarbij het gebruik van dit middel moet worden ontraden.

Bijwerkingen:
Van dit middel zijn geen bijwerkingen bekend.

Combinatie met andere geneesmiddelen:
U kunt dit geneesmiddel in het algemeen zonder bezwaar gelijktijdig met andere medicijnen gebruiken.

Gebruik tijdens zwangerschap of borstvoeding:
Dit geneesmiddel kan, voorzover bekend, zonder bezwaar overeenkomstig de voorgeschreven dosering worden gebruikt. Het verdient in het algemeen aanbeveling bij gebruik van geneesmiddelen tijdens de zwangerschap en de periode waar-in borstvoeding wordt gegeven, eerst uw arts te raadplegen.

Wijze van gebruik:
Tenzij anders is voorgeschreven, 3x daags 2 tabletten vóór de maaltijd in de mond uiteen laten vallen.

Gebruiksduur:
Indien noodzakelijk kan het middel langdurig worden toegepast. Indien de klachten aanhouden is het verstandig een arts te raadplegen.

SILICEA D6

Samenstelling:
Acidum silicicum D6 (kiezelzuur).

Gebruiken bij:
Een homeopathisch geneesmiddel kan doorgaans voor zeer uiteenlopende aandoeningen worden aanbevolen.

Dit middel wordt echter het meest toegepast bij:
- gestoorde haar- en nagelgroei
- gevoeligheid voor ontstekingen, fistels
- keel-, neus- en oorklachten
- abces
- borstklierontsteking
- fistel
- middenoorontsteking
- loopoor
- haaruitval
- broze nagels
- chronische of steeds terugkerende steenpuisten
- verstopping
- bijholteontsteking.

De hierna volgende opsomming van kenmerken waarbij dit middel vooral werkzaam is, is beperkt. Genoemd zijn slechts de volgende, veel voorkomende kenmerken:
- kouwelijke mensen met veel behoefte aan warmte
- klachten verergeren bij koud en vochtig weer
- bij hardnekkige, chronische klachten.

In geval van abces, borstklierontsteking, fistel en bijholteontsteking:
- verergering van de pijn door beweging
- verbetering door rust en warmte
- vooral bij hardnekkige abcessen
- na het doorbreken, als nabehandeling.

In geval van loopoor en middenoorontsteking:
- verergering van de pijn door beweging
- verbetering door rust en warmte
- vooral bij harnekkige/chronische situaties
- na het doorbreken, als nabehandeling.

In geval van verstopping:
- ontlasting trekt zich weer terug in de darm
- obstipatie verergert tijdens de menstruatie.

Niet gebruiken bij:
Er zijn geen omstandigheden bekend waarbij het gebruik van
dit middel moet worden ontraden.

Bijwerkingen:
Van dit middel zijn geen bijwerkingen bekend.

Combinatie met andere geneesmiddelen:
U kunt dit geneesmiddel in het algemeen zonder bezwaar
gelijktijdig met andere medicijnen gebruiken.

Gebruik tijdens zwangerschap of borstvoeding:
Dit geneesmiddel kan, voorzover bekend, zonder bezwaar
overeenkomstig de voorgeschreven dosering worden gebruikt.
Het verdient in het algemeen aanbeveling bij gebruik van
geneesmiddelen tijdens de zwangerschap en de periode waarin borstvoeding wordt gegeven, eerst uw arts te raadplegen.

Wijze van gebruik:
Tenzij anders is voorgeschreven, 3x daags 2 tabletten vóór de
maaltijd in de mond uiteen laten vallen.

Gebruiksduur:
Indien noodzakelijk kan het middel langdurig worden toegepast. Indien de klachten aanhouden is het verstandig een arts
te raadplegen.

SILICEA D12

Samenstelling:
Acidum silicicum D12 (kiezelzuur).

Gebruiken bij:
Een homeopathisch geneesmiddel kan doorgaans voor zeer
uiteenlopende aandoeningen worden aanbevolen. Dit middel
wordt echter het meest toegepast bij:
- gestoorde haar- en nagelgroei
- gevoeligheid voor ontstekingen, fistels
- keel-, neus- en oorklachten

- abces
- borstklierontsteking
- fistel
- middenoorontsteking
- loopoor
- haaruitval
- broze nagels
- chronische of steeds terugkerende steenpuisten
- verstopping
- bijholteontsteking.

De hierna volgende opsomming van kenmerken waarbij dit
middel vooral werkzaam is, is beperkt. Genoemd zijn slechts
de volgende, veel voorkomende kenmerken:
- kouwelijke mensen met veel behoefte aan warmte
- klachten verergeren bij koud en vochtig weer
- bij hardnekkige, chronische klachten.

*In geval van abces, borstklierontsteking, fistel en
bijholteontsteking:*
- verergering van de pijn door beweging
- verbetering door rust en warmte
- vooral bij hardnekkige abcessen
- na het doorbreken, als nabehandeling.

In geval van loopoor en middenoorontsteking:
- verergering van de pijn door beweging
- verbetering door rust en warmte
- vooral bij harnekkige/chronische situaties
- na het doorbreken, als nabehandeling.

In geval van verstopping:
- ontlasting trekt zich weer terug in de darm
- obstipatie verergert tijdens de menstruatie.

Niet gebruiken bij:
Er zijn geen omstandigheden bekend waarbij het gebruik van
dit middel moet worden ontraden.

Bijwerkingen:
Van dit middel zijn geen bijwerkingen bekend.

Combinatie met andere geneesmiddelen:
U kunt dit geneesmiddel in het algemeen zonder bezwaar
gelijktijdig met andere medicijnen gebruiken.

Gebruik tijdens zwangerschap of borstvoeding:
Dit geneesmiddel kan, voorzover bekend, zonder bezwaar
overeenkomstig de voorgeschreven dosering worden gebruikt.
Het verdient in het algemeen aanbeveling bij gebruik van
geneesmiddelen tijdens de zwangerschap en de periode waarin borstvoeding wordt gegeven, eerst uw arts te raadplegen.

Wijze van gebruik:
Tenzij anders is voorgeschreven, 3x daags 2 tabletten vóór de
maaltijd in de mond uiteen laten vallen.

Gebruiksduur:
Indien noodzakelijk kan het middel langdurig worden toegepast. Indien de klachten aanhouden is het verstandig een arts
te raadplegen.

SMEERWORTEL tinctuur, uitwendig

Samenstelling:
Symphytum officinale ø (smeerwortel).

Eigenschappen van de bestanddelen:
Symphytum officinale ø vermindert de pijn, werkt
ontstekingremmend en bevordert de genezing van wonden
en huid.

Gebruiken bij:
- spierpijn
- gewrichtspijn.

Niet gebruiken bij:
Zwangerschap.

Bijwerkingen:
Van dit middel zijn geen bijwerkingen bekend.

Combinatie met andere geneesmiddelen:
U kunt dit geneesmiddel in het algemeen zonder bezwaar
gelijktijdig met andere medicijnen gebruiken.

Gebruik tijdens zwangerschap of borstvoeding:
Niet gebruiken tijdens de zwangerschap.

Wijze van gebruik:
Tenzij anders is voorgeschreven, de pijnlijke plaats er enige
malen per dag zachtjes mee inwrijven.

Waarschuwing!
Niet innemen.

Gebruiksduur:
Indien noodzakelijk kan het middel langdurig worden toegepast. Indien de klachten aanhouden is het verstandig een arts
te raadplegen.

Bewaren:
In dit middel kan enig bezinksel ontstaan. Dit heeft geen
nadelige invloed op de geneeskrachtige werking.

SOLANUM COMPLEX

Samenstelling:
Argentum nitricum D4 - 20% (zilvernitraat)
Solanum tuberosum ø - 80%. (aardappel).

Eigenschappen van de bestanddelen:
Argentum nitricum D4 helpt o.a. bij maagklachten met oprispingen en diarree, en bij maagpijn van stekende of branderige aard.
Solanum tuberosum ø werkt zuurbindend en krampopheffend,
vermindert klachten die door te sterke zuurproductie ontstaan.

Gebruiken bij:
- brandend maagzuur
- incidentele maagpijn
- gebrek aan eetlust
- maagslijmvliesontsteking.

Niet gebruiken bij:
Er zijn geen omstandigheden bekend waarbij het gebruik van
dit middel moet worden ontraden.

Bijwerkingen:
Van dit middel zijn bij de aangegeven dosering geen bijwerkingen bekend.

Combinatie met andere geneesmiddelen:
U kunt dit geneesmiddel in het algemeen zonder bezwaar
gelijktijdig met andere medicijnen gebruiken.

Gebruik tijdens zwangerschap of borstvoeding:
Dit geneesmiddel kan, voorzover bekend, zonder bezwaar
overeenkomstig de voorgeschreven dosering worden gebruikt.
Het verdient in het algemeen aanbeveling bij gebruik van
geneesmiddelen tijdens de zwangerschap en de periode waarin borstvoeding wordt gegeven, eerst uw arts te raadplegen.

Wijze van gebruik:
Tenzij anders is voorgeschreven, 3x daags 20-30 druppels
vóór de maaltijd in wat water innemen.

Gebruiksduur:
Het middel, vanwege het gehalte aan solanine, niet maanden
achtereen gebruiken.

Bewaren:
In dit middel kan enig bezinksel ontstaan. Dit heeft geen nadelige invloed op de geneeskrachtige werking.

SOLIDAGO tinctuur

Samenstelling:
Solidago virgaurea ø (echte guldenroede).

Eigenschappen van de bestanddelen:
Solidago virgaurea ø werkt ontstekingremmend bij blaas- en
nierontsteking, remt bacteriegroei en heeft een
krampopheffend en urinedrijvend effect.

Gebruiken bij:
- ter bevordering van de nierwerking bij o.a. infectieziekten
- gewrichtsklachten en hoge bloeddruk
- blaas- en nierontsteking
- waterzucht (oedeem) als gevolg van een nieraandoening.

Niet gebruiken bij:
Er zijn geen omstandigheden bekend waarbij het gebruik van
dit middel moet worden ontraden.

Bijwerkingen:
Van dit middel zijn geen bijwerkingen bekend.

Combinatie met andere geneesmiddelen:
U kunt dit geneesmiddel in het algemeen zonder bezwaar
gelijktijdig met andere medicijnen gebruiken.

Gebruik tijdens zwangerschap of borstvoeding:
Dit geneesmiddel kan, voorzover bekend, zonder bezwaar
overeenkomstig de voorgeschreven dosering worden gebruikt.
Het verdient in het algemeen aanbeveling bij gebruik van
geneesmiddelen tijdens de zwangerschap en de periode waarin borstvoeding wordt gegeven, eerst uw arts te raadplegen.

Wijze van gebruik:
Tenzij anders is voorgeschreven, 3x daags 10-20 druppels
vóór de maaltijd in wat water innemen.

Gebruiksduur:
Indien noodzakelijk kan het middel langdurig worden toegepast. Indien de klachten aanhouden is het verstandig een arts te raadplegen.

Bewaren:
In dit middel kan enig bezinksel ontstaan. Dit heeft geen nadelige invloed op de geneeskrachtige werking.

SOLIDAGO COMPLEX

Samenstelling:
Betula pendula ø - 13% (ruwe berk)
Equisetum arvense ø - 4% (akkerpaardestaart)
Juniperus communis ø - 4% (jeneverbes)
Ononis spinosa ø - 5% (kattedoorn)
Polygonum aviculare ø - 5% (varkensgras)
Potentilla anserina ø - 14% (zilverschoon)
Solidago virgaurea ø - 50% (echte guldenroede)
Viola tricolor ø - 5% (driekleurig viooltje).

Eigenschappen van de bestanddelen:
Betula pendula ø werkt urinedrijvend.
Equisetum arvense ø werkt urinedrijvend.
Juniperus communis ø werkt urinedrijvend.
Ononis spinosa ø werkt urinedrijvend.
Polygonum aviculare ø werkt urinedrijvend.
Potentilla anserina ø werkt krampopheffenden samentrekkend.
Solidago virgaurea ø werkt ontstekingremmend bij blaas- en nierontsteking, remt de bacteriegroei en heeft een urinedrijvend effect.
Viola tricolor ø heeft o.a. een mild urinedrijvende werking.

Gebruiken bij:
- ter bevordering van de nierwerking bij o.a. infectieziekten
- gewrichtsklachten en hoge bloeddruk
- blaas- en nierontsteking
- waterzucht (oedeem) als gevolg van een nieraandoening.

Niet gebruiken bij:
Er zijn geen omstandigheden bekend waarbij het gebruik van
dit middel moet worden ontraden.

Bijwerkingen:
Van dit middel zijn geen bijwerkingen bekend.

Combinatie met andere geneesmiddelen:
U kunt dit geneesmiddel in het algemeen zonder bezwaar
gelijktijdig met andere medicijnen gebruiken.

Gebruik tijdens zwangerschap of borstvoeding:
Dit geneesmiddel kan, voorzover bekend, zonder bezwaar
overeenkomstig de voorgeschreven dosering worden gebruikt.
Het verdient in het algemeen aanbeveling bij gebruik van
geneesmiddelen tijdens de zwangerschap en de periode waarin borstvoeding wordt gegeven, eerst uw arts te raadplegen.

Wijze van gebruik:
Tenzij anders is voorgeschreven, 3x daags 20 druppels vóór de
maaltijd in wat water innemen.

Gebruiksduur:
Indien noodzakelijk kan het middel langdurig worden toegepast. Indien de klachten aanhouden is het verstandig een arts
te raadplegen.

Bewaren:
In dit middel kan enig bezinksel ontstaan. Dit heeft geen nadelige invloed op de geneeskrachtige werking.

SPILANTHES tinctuur, uitwendig

Samenstelling:
Spilanthes oleracea ø = D1 (spilanthes).

Eigenschappen van de bestanddelen:
Spilanthes oleracea ø = D1 werkt schimmeldodend,
ontstekingwerend, samentrekkend en heeft een plaatselijk
pijnstillend effect.

Gebruiken bij:
- schimmelinfecties zoals zwemmerseczeem
- voetschimmel
- ringworm
- mondslijmvliesontsteking (spruw)
- aften.

Niet gebruiken bij:
Er zijn geen omstandigheden bekend waarbij het gebruik van dit middel moet worden ontraden.

Bijwerkingen:
Van dit middel zijn geen bijwerkingen bekend.
Het per ongeluk doorslikken van een dosering Spilanthes ø = D1 zal, voorzover bekend, geen nadelige gevolgen hebben.

Combinatie met andere geneesmiddelen:
U kunt dit geneesmiddel in het algemeen zonder bezwaar gelijktijdig met andere medicijnen gebruiken.

Gebruik tijdens zwangerschap of borstvoeding:
Dit geneesmiddel kan, voorzover bekend, zonder bezwaar overeenkomstig de voorgeschreven dosering worden gebruikt. Het verdient in het algemeen aanbeveling bij gebruik van geneesmiddelen tijdens de zwangerschap en de periode waarin borstvoeding wordt gegeven, eerst uw arts te raadplegen.

Wijze van gebruik:
Bij ringworm en schimmelinfecties op de huid: fixeer op de aangedane plaats een kompres met 40-50 druppels Spilanthes ø. Bij voetschimmel: leg elke avond een uur lang enkele in Spilanthes ø gedrenkte watjes of gaasjes tussen alle tenen. Bij mondslijmvliesontsteking en aften: 40-50 druppels op een half glas water, daarmee over de dag verdeeld enige malen spoelen. Niet doorslikken. Nadat de klachten zijn verdwenen Spilanthes ø = D1 nog enige tijd blijven gebruiken. Dit voorkomt het terugkeren van de klachten.

Gebruiksduur:
Indien noodzakelijk kan het middel langdurig worden toege-

past. Indien de klachten aanhouden is het verstandig een arts te raadplegen.

Bewaren:
In dit middel kan enig bezinksel ontstaan. Dit heeft geen nadelige invloed op de geneeskrachtige werking.

STAPHISAGRIA D3

Samenstelling:
Delphinium staphisagria D3 (staverkruid).

Gebruiken bij:
Een homeopathisch geneesmiddel kan doorgaans voor zeer uiteenlopende aandoeningen worden aanbevolen. Dit middel wordt echter het meest toegepast bij:
- ooglidontsteking
- zenuwzwakte
- vroegtijdige cariës.

De hierna volgende opsomming van kenmerken waarbij dit middel vooral werkzaam is, is beperkt. Genoemd zijn slechts de volgende voorkomende kenmerken:
- steeds terugkerende ontsteking van de oogleden
- 's morgens weinig energie.

In geval van zenuwzwakte:
- klachten verergeren door ergernissen en krenkingen.

Niet gebruiken bij:
Er zijn geen omstandigheden bekend waarbij het gebruik van dit middel moet worden ontraden.

Bijwerkingen:
Van dit middel zijn geen bijwerkingen bekend.

Combinatie met andere geneesmiddelen:
U kunt dit geneesmiddel in het algemeen zonder bezwaar gelijktijdig met andere medicijnen gebruiken.

Gebruik tijdens zwangerschap of borstvoeding:
Dit geneesmiddel kan, voorzover bekend, zonder bezwaar overeenkomstig de voorgeschreven dosering worden gebruikt. Het verdient in het algemeen aanbeveling bij gebruik van geneesmiddelen tijdens de zwangerschap en de periode waarin borstvoeding wordt gegeven, eerst uw arts te raadplegen.

Wijze van gebruik:
Tenzij anders is voorgeschreven, 3x daags 5-10 druppels vóór de maaltijd in wat water innemen.

Gebruiksduur:
Indien noodzakelijk kan het middel langdurig worden toegepast. Indien de klachten aanhouden is het verstandig een arts te raadplegen.

SULFUR D6

Samenstelling:
Sulfur D6 (zwavel).

Gebruiken bij:
Een homeopathisch geneesmiddel kan doorgaans voor zeer uiteenlopende aandoeningen worden aanbevolen. Dit middel wordt echter het meest toegepast bij:
- acne
- hardnekkig eczeem.

De hierna volgende opsomming van kenmerken waarbij dit middel vooral werkzaam is, is beperkt. Genoemd zijn slechts de volgende, veel voorkomende kenmerken:
- branderig gevoel, vooral aan handen en voeten
- klachten verergeren door warmte, bijv. in bed
- grauwe huidskleur.

Niet gebruiken bij:
Er zijn geen omstandigheden bekend waarbij het gebruik van dit middel moet worden ontraden.

Bijwerkingen:
Van dit middel zijn geen bijwerkingen bekend.

Combinatie met andere geneesmiddelen:
U kunt dit geneesmiddel in het algemeen zonder bezwaar
gelijktijdig met andere medicijnen gebruiken.

Gebruik tijdens zwangerschap of borstvoeding:
Dit geneesmiddel kan, voorzover bekend, zonder bezwaar
overeenkomstig de voorgeschreven dosering worden gebruikt.
Het verdient in het algemeen aanbeveling bij gebruik van
geneesmiddelen tijdens de zwangerschap en de periode waarin borstvoeding wordt gegeven, eerst uw arts te raadplegen.

Wijze van gebruik:
Tenzij anders is voorgeschreven, 3x daags 5-10 druppels vóór
de maaltijd in wat water innemen.

Gebruiksduur:
Indien noodzakelijk kan het middel langdurig worden toegepast. Indien de klachten aanhouden is het verstandig een arts
te raadplegen.

SYMPHOSAN, uitwendig

Samenstelling:
Aqua Hamamelidis C.M.N. - 5,0% (toverhazelaar)
Arnica montana ø = D1 - 1,0% (valkruid)
Hypericum perforatum ø - 5,0% (sint-janskruid)
Sanicula europaea ø - 2,5% (heelkruid)
Sempervivum tectorum ø - 2,5% (huislook)
Solidago virgaurea ø - 4,0% (echte guldenroede)
Symphytum officinale ø - 80% (smeerwortel).

Eigenschappen van de bestanddelen:
Aqua Hamamelidis C.M.N. werkt samentrekkend en antiseptisch.
Arnica montana ø = D1 vermindert de zwelling als gevolg van
stoten (bloeduitstorting), kneuzing of verrekking en werkt
pijnstillend.

221

Hypericum perforatum ø werkt o.a. ontstekingremmend, samentrekkend en bevordert de wondgenezing.
Sanicula europaea ø werkt desinfecterend en schimmelgroeiwerend.
Sempervivum tectorum ø werkt verzachtend en antiseptisch.
Solidago virgaurea ø werkt o.a. antiseptisch en samentrekkend.
Symphytum officinale ø vermindert de pijn, werkt ontstekingremmend en bevordert de genezing van wonden en huid.

Gebruiken bij:
- spierpijn
- gewrichtspijn
- tenniselleboog
- zenuwpijn
- zenuwontsteking.

Niet gebruiken bij:
Zwangerschap en overgevoeligheid voor Arnica.

Bijwerkingen:
Van dit middel zijn geen bijwerkingen bekend.

Combinatie met andere geneesmiddelen:
U kunt dit geneesmiddel in het algemeen zonder bezwaar gelijktijdig met andere medicijnen gebruiken.

Gebruik tijdens zwangerschap of borstvoeding:
Dit middel kunt u niet gebruiken tijdens de zwangerschap.

Wijze van gebruik:
Tenzij anders is voorgeschreven, de pijnlijke plaats er enige malen per dag zachtjes mee inwrijven, of op een kompres aanbrengen.

Gebruiksduur:
Indien noodzakelijk kan het middel langdurig worden toegepast. Indien de klachten aanhouden is het verstandig een arts te raadplegen.

Bewaren:
In dit middel kan enig bezinksel ontstaan. Dit heeft geen nadelige invloed op de geneeskrachtige werking.

SYMPHOSAN zonder Arnica

Samenstelling:
Aqua Hamamelidis C.M.N. - 5,0% (Virginische toverhazelaar)
Hypericum perforatum ø - 6,0% (sint-janskruid)
Sanicula europaea ø - 2,5% (heelkruid)
Sempervivum tectorum ø - 2,5% (huislook)
Solidago virgaurea ø - 5,0% (echte guldenroede)
Symphytum officinale ø - 79% (smeerwortel).

Eigenschappen van de bestanddelen:
Aqua Hamamelidis C.M.N. werkt samentrekkend en antiseptisch.
Hypericum perforatum ø werkt o.a. ontstekingremmend, samentrekkend en bevordert de wondgenezing.
Sanicula europaea ø werkt desinfecterend en schimmelgroeiwerend.
Sempervivum tectorum ø werkt verzachtend en antiseptisch.
Solidago virgaurea ø werkt o.a. antiseptisch en samentrekkend.
Symphytum officinale ø vermindert de pijn, werkt ontstekingremmend en bevordert de genezing van wonden en huid.

Gebruiken bij:
- spierpijn
- gewrichtspijn
- tenniselleboog
- zenuwpijn
- zenuwontsteking.

Niet gebruiken bij:
Zwangerschap.

Bijwerkingen:
Van dit middel zijn geen bijwerkingen bekend.

Combinatie met andere geneesmiddelen:
U kunt dit geneesmiddel in het algemeen zonder bezwaar
gelijktijdig met andere medicijnen gebruiken.

Gebruik tijdens zwangerschap of borstvoeding:
Dit middel kunt u niet gebruiken tijdens de zwangerschap.

Wijze van gebruik:
Tenzij anders is voorgeschreven, de pijnlijke plaats er enige malen
per dag zachtjes mee inwrijven, of op een kompres aanbrengen.

Combinatie met andere geneesmiddelen:
U kunt dit geneesmiddel in het algemeen zonder bezwaar
gelijktijdig met andere medicijnen gebruiken.

Bewaren:
In dit middel kan enig bezinksel ontstaan. Dit heeft geen nadelige invloed op de geneeskrachtige werking.

TABACUM D4

Samenstelling:
Nicotiana tabacum D4 (tabaksplant).

Gebruiken bij:
Een homeopathisch geneesmiddel kan doorgaans voor zeer
uiteenlopende aandoeningen worden aanbevolen. Dit middel
wordt echter het meest toegepast bij:
- misselijkheid en braken
- misselijkheid en braken in verband met reisziekte
- misselijkheid en braken in verband met zwangerschap
- duizeligheid
- oorsuizingen.

De hierna volgende opsomming van kenmerken waarbij dit
middel vooral werkzaam is, is beperkt. Genoemd is slechts het

☐ **JA**, ik ontvang graag meer informatie over de geneesmiddelen van A. Vogel

Naam: .... ☐ Dhr./ ☐ Mevr.

Adres: ....

Plaats: ....

Geboortedatum: ....

Gezinssamenstelling: ☐ alleenstaand
                         ☐ gehuwd/samenwonend zonder kinderen
                         ☐ gehuwd/samenwonend met ...... kinderen, respectievelijk .... jaar.

Ik gebruik natuurlijke geneesmiddelen, namelijk:

Bij welke gelegenheid	Middel (naam van middel(en) invullen	Hoe vaak D=dagelijks W=1x per week M=1x per maand K= 1x per kwartaal
Ter algemene ondersteuning van mijn conditie	....	....
	....	....
	....	....
Bij specifieke klachten	....	....
	....	....

Ik gebruik de middelen   ☐ op advies van mijn arts
                               ☐ op basis van eigen kennis en ervaring.

U kunt deze kaart in een envelop zonder postzegel
naar het volgende adres toesturen: A. Vogel

                     Antwoordnummer 244
                     8070 VK ELBURG

volgende, veel voorkomende kenmerk:
- verergering van klachten door roken of verblijf in rokerige
  ruimten.

*In geval van misselijkheid en braken, ook in verband met
reisziekte:*
- blijvende misselijkheid en een bleek gezicht
- verbetering door frisse lucht
- koud zweet
- verergering door beweging.

In geval van duizeligheid:
- zeer bleek gezicht en zweet op voorhoofd
- patiënt voelt zich slechter bij opstaan, naar boven kijken en
  bij het openen van de ogen
- misselijkheid.

Niet gebruiken bij:
Er zijn geen omstandigheden bekend waarbij het gebruik van
dit middel moet worden ontraden.

Bijwerkingen:
Van dit middel zijn geen bijwerkingen bekend.

Combinatie met andere geneesmiddelen:
U kunt dit geneesmiddel in het algemeen zonder bezwaar
gelijktijdig met andere medicijnen gebruiken.

Gebruik tijdens zwangerschap of borstvoeding:
Dit geneesmiddel kan, voorzover bekend, zonder bezwaar
overeenkomstig de voorgeschreven dosering worden gebruikt.
Het verdient in het algemeen aanbeveling bij gebruik van
geneesmiddelen tijdens de zwangerschap en de periode waarin borstvoeding wordt gegeven, eerst uw arts te raadplegen.

Wijze van gebruik:
Tenzij anders is voorgeschreven, 3x daags 5-10 druppels in
wat water innemen. Even in de mond houden en dan doorslikken. In geval van misselijkheid en braken elk uur 5 druppels
tot er verbetering optreedt.

Gebruiksduur:
Indien noodzakelijk kan het middel langdurig worden toegepast. Indien de klachten aanhouden is het verstandig een arts
te raadplegen.

TABACUM D12

Samenstelling:
Nicotiana tabacum D12 (tabaksplant).

Gebruiken bij:
Een homeopathisch geneesmiddel kan doorgaans voor zeer
uiteenlopende aandoeningen worden aanbevolen. Dit middel
wordt echter het meest toegepast bij:
- ontwenning van roken.

Niet gebruiken bij:
Er zijn geen omstandigheden bekend waarbij het gebruik van
dit middel moet worden ontraden.

Bijwerkingen:
Van dit middel zijn geen bijwerkingen bekend.

Combinatie met andere geneesmiddelen:
U kunt dit geneesmiddel in het algemeen zonder bezwaar
gelijktijdig met andere medicijnen gebruiken.

Gebruik tijdens zwangerschap of borstvoeding:
Dit geneesmiddel kan, voorzover bekend, zonder bezwaar
overeenkomstig de voorgeschreven dosering worden gebruikt.
Het verdient in het algemeen aanbeveling bij gebruik van
geneesmiddelen tijdens de zwangerschap en de periode waarin borstvoeding wordt gegeven, eerst uw arts te raadplegen.

Wijze van gebruik:
Zodra het verlangen tot roken opkomt, elke 2 uur 5 druppels;
dosering niet verhogen.

Gebruiksduur:
Indien noodzakelijk kan het middel langdurig worden toegepast. Indien de klachten aanhouden is het verstandig een arts
te raadplegen.

TARAXACUM TINCTUUR

Samenstelling:
Taraxacum officinale ø (paardebloem).

Eigenschappen van de bestanddelen:
Taraxacum officinale ø verhoogt de galuitscheiding,
stimuleert de spijsvertering, voorkomt galsteenvorming en
werkt cholesterolverlagend.

Gebruiken bij:
- verminderde productie van gal door de lever
- een te hoog cholesterolgehalte
- eetlustgebrek
- ter voorkoming van galsteenvorming.

Niet gebruiken bij:
Er zijn geen omstandigheden bekend waarbij het gebruik van
dit middel moet worden ontraden.

Bijwerkingen:
Van dit middel zijn geen bijwerkingen bekend.

Combinatie met andere geneesmiddelen:
U kunt dit geneesmiddel in het algemeen zonder bezwaar
gelijktijdig met andere medicijnen gebruiken.

Gebruik tijdens zwangerschap of borstvoeding:
Dit geneesmiddel kan, voorzover bekend, zonder bezwaar
overeenkomstig de voorgeschreven dosering worden gebruikt.
Het verdient in het algemeen aanbeveling bij gebruik van
geneesmiddelen tijdens de zwangerschap en de periode waarin borstvoeding wordt gegeven, eerst uw arts te raadplegen.

Wijze van gebruik:
Tenzij anders is voorgeschreven, 3x daags 10-20 druppels (bij een te hoog cholesterolgehalte: 3x daags 20 druppels) vóór de maaltijd in wat water innemen.

Gebruiksduur:
Indien noodzakelijk kan het middel langdurig worden toegepast. Indien de klachten aanhouden is het verstandig een arts te raadplegen.

Bewaren:
In dit middel kan enig bezinksel ontstaan. Dit heeft geen nadelige invloed op de geneeskrachtige werking.

THUJA tinctuur, uitwendig

Samenstelling:
Thuja occidentalis ø (levensboom).

Eigenschappen van de bestanddelen:
Thuja occidentalis ø is werkzaam tegen wratten en wratachtige verschijnselen op de huid.

Gebruiken bij:
- wratten.

Niet gebruiken bij:
Er zijn geen omstandigheden bekend waarbij het gebruik van dit middel moet worden ontraden.

Bijwerkingen:
Van dit middel zijn geen bijwerkingen bekend.

Waarschuwing!
Thuja tinctuur niet innemen, bij inwendig gebruik is vergiftiging mogelijk!

Combinatie met andere geneesmiddelen:
U kunt dit geneesmiddel in het algemeen zonder bezwaar gelijktijdig met andere medicijnen gebruiken.

Gebruik tijdens zwangerschap of borstvoeding:
Dit geneesmiddel kan, voorzover bekend, zonder bezwaar overeenkomstig de voorgeschreven dosering worden gebruikt. Het verdient in het algemeen aanbeveling bij gebruik van geneesmiddelen tijdens de zwangerschap en de periode waarin borstvoeding wordt gegeven, eerst uw arts te raadplegen.

Wijze van gebruik:
Tenzij anders is voorgeschreven, 's morgens en 's avonds de wrat bedruppelen en laten opdrogen.

Gebruiksduur:
Indien noodzakelijk kan het middel langdurig worden toegepast. Indien de klachten aanhouden is het verstandig een arts te raadplegen.

Bewaren:
In dit middel kan enig bezinksel ontstaan. Dit heeft geen nadelige invloed op de geneeskrachtige werking.

THUJA D4

Samenstelling:
Thuja occidentalis D4 (levensboom).

Gebruiken bij:
Een homeopathisch geneesmiddel kan doorgaans voor zeer uiteenlopende aandoeningen worden aanbevolen. Dit middel wordt echter het meest toegepast bij:
- wratten en andere wratachtige verschijnselen op de huid
- klachten als gevolg van inenting
- chronische gevolgen van infectieziekten.

De hierna volgende opsomming van kenmerken waarbij dit middel vooral werkzaam is, is beperkt. Genoemd zijn slechts de volgende, veel voorkomende kenmerken:
- vette huid
- veel transpireren, behalve aan het hoofd
- klachten verergeren bij vochtig weer.

Niet gebruiken bij:
Er zijn geen omstandigheden bekend waarbij het gebruik van
dit middel moet worden ontraden.

Bijwerkingen:
Van dit middel zijn geen bijwerkingen bekend.

Combinatie met andere geneesmiddelen:
U kunt dit geneesmiddel in het algemeen zonder bezwaar
gelijktijdig met andere medicijnen gebruiken.

Gebruik tijdens zwangerschap of borstvoeding:
Dit geneesmiddel kan, voorzover bekend, zonder bezwaar
overeenkomstig de voorgeschreven dosering worden gebruikt.
Het verdient in het algemeen aanbeveling bij gebruik van
geneesmiddelen tijdens de zwangerschap en de periode waarin borstvoeding wordt gegeven, eerst uw arts te raadplegen.

Wijze van gebruik:
Tenzij anders is voorgeschreven, 3x daags 5-10 druppels vóór
de maaltijd in wat water innemen. In geval van klachten bij
inenting: 1 dag voor de inenting 3x daags 10 druppels, na de
inenting gedurende 3 dagen 3x daags 10 druppels.
In geval van wratten: als aanvulling op de behandeling met
Thuja tinctuur.

Gebruiksduur:
Indien noodzakelijk kan het middel langdurig worden toegepast. Indien de klachten aanhouden is het verstandig een arts
te raadplegen.

THUJA D6

Samenstelling:
Thuja occidentalis D6 (levensboom).

Gebruiken bij:
Een homeopathisch geneesmiddel kan doorgaans voor zeer
uiteenlopende aandoeningen worden aanbevolen. Dit middel

wordt echter het meest toegepast bij:
- wratten en andere wratachtige verschijnselen op de huid
- klachten als gevolg van inenting
- chronische gevolgen van infectieziekten.

De hierna volgende opsomming van kenmerken waarbij dit
middel vooral werkzaam is, is beperkt. Genoemd zijn slechts
de volgende, veel voorkomende kenmerken:
- vette huid
- veel transpireren, behalve aan het hoofd
- klachten verergeren bij vochtig weer.

Niet gebruiken bij:
Er zijn geen omstandigheden bekend waarbij het gebruik van
dit middel moet worden ontraden.

Bijwerkingen:
Van dit middel zijn geen bijwerkingen bekend.

Combinatie met andere geneesmiddelen:
U kunt dit geneesmiddel in het algemeen zonder bezwaar
gelijktijdig met andere medicijnen gebruiken.

Gebruik tijdens zwangerschap of borstvoeding:
Dit geneesmiddel kan, voorzover bekend, zonder bezwaar
overeenkomstig de voorgeschreven dosering worden gebruikt.
Het verdient in het algemeen aanbeveling bij gebruik van
geneesmiddelen tijdens de zwangerschap en de periode waarin borstvoeding wordt gegeven, eerst uw arts te raadplegen.

Wijze van gebruik:
Tenzij anders is voorgeschreven, 3x daags 5-10 druppels vóór
de maaltijd in wat water innemen. Bij inenting: 1 dag voor en
3 dagen na de inenting, 3x daags 10 druppels. In geval van
wratten: als aanvulling op de behandeling met Thuja tinctuur.

Gebruiksduur:
Indien noodzakelijk kan het middel langdurig worden toegepast. Indien de klachten aanhouden is het verstandig een arts
te raadplegen.

TORMENTAVENA

Samenstelling:
Avena sativa ø - 2,5% (haver)
Galeopsis ochroleuca ø - 10,0% (bleekgele hennepnetel)
Lythrum salicaria ø - 10,0% (gewone kattestaart)
Natrium sulfuricum D6 - 0,5% (natriumsulfaat)
Petasites hybridus ø - 1,5% (groot hoefblad)
Pimpinella saxifraga ø - 1,25% (kleine bevernel)
Polygonum aviculare ø - 5,0% (varkensgras)
Potentilla erecta ø - 68,0% (tormentil)
Usnea barbata ø = D1 - 1,25% (baardmos).

Eigenschappen van de bestanddelen:
Avena sativa ø versterkt het zenuwstelsel, kalmeert en ontspant.
Galeopsis ochroleuca ø heeft een samentrekkende werking op het darmslijmvlies.
Lythrum salicaria ø heeft een samentrekkende werking en wordt vooral toegepast bij diarree bij kinderen en zuigelingen.
Natrium sulfuricum D6 helpt o.a. bij winderigheid en diarree in de ochtend.
Petasites hybridus ø werkt pijnstillend en krampopheffend.
Pimpinella saxifraga ø werkt bij darmkrampen pijnstillend en krampopheffend.
Polygonum aviculare ø heeft een samentrekkende werking.
Potentilla erecta ø werkt antiseptisch en sterk samentrekkend: hierdoor wordt de uitscheiding van darmsappen verminderd.
Usnea barbata ø D1 remt de bacteriegroei in de darmen.

Gebruiken bij:
- diarree (ook bij kinderen).

Niet gebruiken bij:
Er zijn geen omstandigheden bekend waarbij het gebruik van dit middel moet worden ontraden.

Bijwerkingen:
Van dit middel zijn bij de aangegeven dosering geen bijwerkingen bekend.

Waarschuwing!

Diarree kan in het bijzonder bij baby's, kleine kinderen en bejaarden tot uitdroging leiden, soms al na één dag. Pas Tormentavena bij deze risicogroepen daarom pas toe na overleg met uw arts.

Combinatie met andere geneesmiddelen:
U kunt dit geneesmiddel in het algemeen zonder bezwaar gelijktijdig met andere medicijnen gebruiken.

Gebruik tijdens zwangerschap of borstvoeding:
Dit geneesmiddel kan, voorzover bekend, zonder bezwaar overeenkomstig de voorgeschreven dosering worden gebruikt. Het verdient in het algemeen aanbeveling bij gebruik van geneesmiddelen tijdens de zwangerschap en de periode waarin borstvoeding wordt gegeven, eerst uw arts te raadplegen.

Wijze van gebruik:
Tenzij anders is voorgeschreven, 3x daags 10 druppels vóór de maaltijd (in acute gevallen elk uur 5 druppels) in wat water innemen.

Gebruiksduur:
Indien noodzakelijk kan het middel langdurig worden toegepast. Indien de klachten aanhouden is het verstandig een arts te raadplegen.

Bewaren:
In dit middel kan enig bezinksel ontstaan. Dit heeft geen nadelige invloed op de geneeskrachtige werking.

TORMENTAVENA TABLETTEN

Samenstelling:
1 tablet bevat de werkzame bestanddelen van 5 druppels Tormentavena. Samenstelling Tormentavena (druppels):
Avena sativa ø - 2,5% (haver)
Galeopsis ochroleuca ø - 10,0% (bleekgele hennepnetel)

Lythrum salicaria ø - 10,0% (gewone kattestaart)
Natrium sulfuricum D6 - 0,5% (natriumsulfaat)
Petasites hybridus ø - 1,5% (groot hoefblad)
Pimpinella saxifraga ø - 1,25% (kleine bevernel)
Polygonum aviculare ø - 5,0% (varkensgras)
Potentilla erecta ø - 68,0% (tormentil)
Usnea barbata ø = D1 - 1,25% (baardmos).

Eigenschappen van de bestanddelen:
Avena sativa ø versterkt het zenuwstelsel, kalmeert en ontspant.
Galeopsis ochroleuca ø heeft een samentrekkende werking op het darmslijmvlies.
Lythrum salicaria ø heeft een samentrekkende werking en wordt vooral toegepast bij diarree bij kinderen en zuigelingen.
Natrium sulfuricum D6 helpt o.a. bij winderigheid en diarree in de ochtend.
Petasites hybridus ø werkt pijnstillend en krampopheffend.
Pimpinella saxifraga ø werkt bij darmkrampen pijnstillend en krampopheffend.
Polygonum aviculare ø heeft een samentrekkende werking.
Potentilla erecta ø werkt antiseptisch en sterk samentrekkend: hierdoor wordt de uitscheiding van darmsappen verminderd.
Usnea barbata ø D1 remt de bacteriegroei in de darmen.

Gebruiken bij:
- diarree (ook bij kinderen).

Niet gebruiken bij:
Er zijn geen omstandigheden bekend waarbij het gebruik van dit middel moet worden ontraden.

Bijwerkingen:
Van dit middel zijn bij de aangegeven dosering geen bijwerkingen bekend.

Waarschuwing!
Diarree kan in het bijzonder bij baby's, kleine kinderen en bejaarden tot uitdroging leiden, soms al na één dag. Raadpleeg bij deze risicogroepen daarom een arts.

Combinatie met andere geneesmiddelen:
U kunt dit geneesmiddel in het algemeen zonder bezwaar
gelijktijdig met andere medicijnen gebruiken.

Gebruik tijdens zwangerschap of borstvoeding:
Dit geneesmiddel kan, voorzover bekend, zonder bezwaar
overeenkomstig de voorgeschreven dosering worden gebruikt.
Het verdient in het algemeen aanbeveling bij gebruik van
geneesmiddelen tijdens de zwangerschap en de periode waarin borstvoeding wordt gegeven, eerst uw arts te raadplegen.

Wijze van gebruik:
Tenzij anders is voorgeschreven, 3x daags 2 tabletten vóór de
maaltijd (in acute gevallen elk uur 1 tablet) met wat water
innemen.

Gebruiksduur:
Indien noodzakelijk kan het middel langdurig worden toegepast. Indien de klachten aanhouden is het verstandig een arts
te raadplegen.

TORMENTILLA tinctuur

Samenstelling:
Potentilla erecta ø (tormentil).

Eigenschappen van de bestanddelen:
Potentilla erecta ø werkt sterk samentrekkend, verkleint het
wondoppervlak en remt de bacteriegroei.

Gebruiken bij:
- mondslijmvliesontsteking
- tandvleesontsteking
- spruw
- bloedneus.

Bij glutenallergie kan Tormentilla tinctuur in plaats van (het glu-
ten bevattende) Tormentavena tegen diarree worden gebruikt.

Niet gebruiken bij:
Er zijn geen omstandigheden bekend waarbij het gebruik van
dit middel moet worden ontraden.

Bijwerkingen:
Van dit middel zijn geen bijwerkingen bekend.

Combinatie met andere geneesmiddelen:
U kunt dit geneesmiddel in het algemeen zonder bezwaar
gelijktijdig met andere medicijnen gebruiken.

Gebruik tijdens zwangerschap of borstvoeding:
Dit geneesmiddel kan, voorzover bekend, zonder bezwaar
overeenkomstig de voorgeschreven dosering worden gebruikt.
Het verdient in het algemeen aanbeveling bij gebruik van
geneesmiddelen tijdens de zwangerschap en de periode waarin borstvoeding wordt gegeven, eerst uw arts te raadplegen.

Wijze van gebruik:
Tenzij anders is voorgeschreven, 3x daags 10-20 druppels (in
acute gevallen elk uur 5 druppels) vóór de maaltijd in wat
water innemen. Bij mondslijmvliesontsteking (aften) en tandvleesontsteking: aangedane plaatsen enkele malen per dag
aanstippen met een in Tormentilla tinctuur gedrenkt wattenstaafje. Eventueel, over de dag verdeeld, enige malen spoelen
met een oplossing van 50 druppels op een (half) glas water of
kamillethee. Bij bloedneus: een propje met Tormentilla tinctuur doordrenkte watten in de neus aanbrengen.

Gebruiksduur:
Indien noodzakelijk kan het middel langdurig worden toegepast. Indien de klachten aanhouden is het verstandig een arts
te raadplegen.

Bewaren:
In dit middel kan enig bezinksel ontstaan. Dit heeft geen nadelige invloed op de geneeskrachtige werking.

TROPAEOLUM COMPLEX

Samenstelling:
Armoracia lapathifolia ø 15,0% (mierikswortel)
Lepidium sativum ø 15,0% (tuinkers)
Nasturtium officinale ø 32,5% (witte waterkers)
Petasites hybridus ø 5,0% (groot hoefblad)
Tropaeolum majus ø 32,5% (Oost-Indische kers).

Eigenschappen van de bestanddelen:
Armoracia lapathifolia ø heeft een antibiotische werking en desinfecteert de urine.
Lepidium sativum ø heeft een antibacteriële werking.
Nasturtium officinale ø werkt urinedrijvend, activeert de stofwisseling en werkt antibiotisch.
Petasites hybridus ø werkt pijnstillend en krampopheffend.
Tropaeolum majus ø werkt antibiotisch en kan zelfs de groei van voor antibiotica ongevoelig geworden bacteriën remmen.

Gebruiken bij:
- bacteriële infecties

Niet gebruiken bij:
Er zijn geen omstandigheden bekend waarbij het gebruik van dit middel moet worden ontraden.

Bijwerkingen:
Van dit middel zijn geen bijwerkingen bekend.

Waarschuwing!
Bij maagklachten ten gevolge van te weinig maagzuur het middel met voorzichtigheid gebruiken.

Combinatie met andere geneesmiddelen:
U kunt dit geneesmiddel in het algemeen zonder bezwaar gelijktijdig met andere medicijnen gebruiken.

Gebruik tijdens zwangerschap of borstvoeding:
Dit geneesmiddel kan, voorzover bekend, zonder bezwaar overeenkomstig de voorgeschreven dosering worden gebruikt.

Het verdient in het algemeen aanbeveling bij gebruik van geneesmiddelen tijdens de zwangerschap en de periode waarin borstvoeding wordt gegeven, eerst uw arts te raadplegen.

Wijze van gebruik:
Tenzij anders is voorgeschreven, 3x daags 5-10 druppels vóór de maaltijd in wat water innemen.

Gebruiksduur:
Indien noodzakelijk kan het middel langdurig worden toegepast. Indien de klachten aanhouden is het verstandig een arts te raadplegen.

Bewaren:
In dit middel kan enig bezinksel ontstaan. Dit heeft geen nadelige invloed op de geneeskrachtige werking.

URTICA tinctuur

Samenstelling:
Urtica dioica ø (grote brandnetel).

Eigenschappen van de bestanddelen:
Urtica dioica ø werkt urinedrijvend en bevordert de uitscheiding van urinezuur. Het bevordert het op gang brengen van de borstvoeding.

Gebruiken bij:
- huiduitslag met een brandend gevoel
- hevige jeuk
- onwelriekende afscheiding
- galbulten
- netelroos
- jicht
- het niet goed op gang komen van de borstvoeding.

Niet gebruiken bij:
Er zijn geen omstandigheden bekend waarbij het gebruik van dit middel moet worden ontraden.

Bijwerkingen:
Van dit middel zijn bij de aangegeven dosering geen bijwerkingen bekend.

Combinatie met andere geneesmiddelen:
U kunt dit geneesmiddel in het algemeen zonder bezwaar gelijktijdig met andere medicijnen gebruiken.

Gebruik tijdens zwangerschap of borstvoeding:
Dit geneesmiddel kan, voorzover bekend, zonder bezwaar overeenkomstig de voorgeschreven dosering worden gebruikt. Het verdient in het algemeen aanbeveling bij gebruik van geneesmiddelen tijdens de zwangerschap en de periode waarin borstvoeding wordt gegeven, eerst uw arts te raadplegen.

Wijze van gebruik:
Tenzij anders is voorgeschreven, 3x daags 10-20 druppels vóór de maaltijd in wat water innemen. In geval van huiduitslag en galbulten, 3x daags 20 druppels vóór de maaltijd in wat water innemen.

Bewaren:
In dit middel kan enig bezinksel ontstaan. Dit heeft geen nadelige invloed op de geneeskrachtige werking.

URTICALCIN tabletten

Samenstelling:
Acidum silicicum D8 - 0,01% (kiezelzuur)
Calcium carbonicum Hahnemanni D2 - 0,01%
(calciumcarbonaat)
Calcium fluoratum D8 - 0,01% (calciumfluoride)
Calcium gluconicum D2 - 0,01% (calciumgluconaat)
Calcium lacticum D1 - 33% (calciumlactaat)
Calcium phosphoricum D2 - 0,01% (calciumfosfaat)
Kalium chloratum D2 - 0,01% (kaliumchloride)
Natrium phosphoricum D2 - 0,01% (natriumfosfaat)
Ostrea edulis D1 - 11% (oesterkalk)
Ostrea edulis D2 - 0,01% (oesterkalk)
Urtica dioica D1 - 3% (grote brandnetel).

Eigenschappen van de bestanddelen:
Acidum silicicum D8 helpt o.a. bij gevoeligheid voor ontstekingen.
Calcium carbonicum Hahnemanni D2 bevordert o.a. de ontwikkeling van gebit en beenderen.
Calcium fluoratum D8 helpt o.a. bij zwak bindweefsel en het voorkomen van cariës.
Calcium gluconicum D2 helpt o.a. bij kalkgebrek en vermindert kramp.
Calcium lacticum D1 helpt bij kalkgebrek.
Calcium phosphoricum D2 helpt o.a. bij het voorkomen van klachten door snel groeien, zoals rugpijn.
Kalium chloratum D2 helpt o.a. bij verkoudheid en slijmvliesontstekingen.
Natrium phosphoricum D2 helpt o.a. bij 'krakende gewrichten'; vermindert de vatbaarheid voor koude.
Ostrea edulis D1 en D2 helpen o.a. bij kalkgebrek en ter verbetering van de kalkstofwisseling.
Urtica dioica D1 helpt o.a. bij een mineralentekort.

Gebruiken bij:
- verminderde weerstand en de gevolgen daarvan
- gebrekkige opname van mineralen, met name kalk,
  uit het voedsel
- tandjes krijgen
- tandbederf
- botontkalking.

Niet gebruiken bij:
Er zijn geen omstandigheden bekend waarbij het gebruik van dit middel moet worden ontraden.

Bijwerkingen:
Van dit middel zijn geen bijwerkingen bekend.

Combinatie met andere geneesmiddelen:
U kunt dit geneesmiddel in het algemeen zonder bezwaar gelijktijdig met andere medicijnen gebruiken.

Gebruik tijdens zwangerschap of borstvoeding:
Dit geneesmiddel kan, voorzover bekend, zonder bezwaar overeenkomstig de voorgeschreven dosering worden gebruikt. Het verdient in het algemeen aanbeveling bij gebruik van geneesmiddelen tijdens de zwangerschap en de periode waarin borstvoeding wordt gegeven, eerst uw arts te raadplegen.

Wijze van gebruik:
Tenzij anders is voorgeschreven, 3x daags 2-6 tabletten vóór de maaltijd in de mond uiteen laten vallen.

Gebruiksduur:
Indien noodzakelijk kan het middel langdurig worden toegepast. Indien de klachten aanhouden is het verstandig een arts te raadplegen.

URTICALCIN poeder

Samenstelling:
Acidum silicicum D8 - 0,01% (kiezelzuur)
Calcium carbonicum Hahnemanni D2 - 0,01% (calciumcarbonaat)
Calcium fluoratum D8 - 0,01% (calciumfluoride)
Calcium gluconicum D2 - 0,01% (calciumgluconaat)
Calcium lacticum D1 - 33% (calciumlactaat)
Calcium phosphoricum D2 - 0,01% (calciumfosfaat)
Kalium chloratum D2 - 0,01% (kaliumchloride)
Natrium phosphoricum D2 - 0,01% (natriumfosfaat)
Ostrea edulis D1 - 11% (oesterkalk)
Ostrea edulis D2 - 0,01% (oesterkalk)
Urtica dioica D1 - 3% (grote brandnetel).

Eigenschappen van de bestanddelen:
De minerale bestanddelen, samen met Ostrea edulis en Urtica hebben een genezend effect bij eczeem.

Gebruiken bij:
- ter ondersteuning bij de behandeling van huidklachten.

Niet gebruiken bij:
Er zijn geen omstandigheden bekend waarbij het gebruik van
dit middel moet worden ontraden.

Bijwerkingen:
Van dit middel zijn geen bijwerkingen bekend.

Combinatie met andere geneesmiddelen:
U kunt dit geneesmiddel in het algemeen zonder bezwaar
gelijktijdig met andere medicijnen gebruiken.

Gebruik tijdens zwangerschap of borstvoeding:
Dit geneesmiddel kan, voorzover bekend, zonder bezwaar
overeenkomstig de voorgeschreven dosering worden gebruikt.
Het verdient in het algemeen aanbeveling bij gebruik van
geneesmiddelen tijdens de zwangerschap en de periode waarin borstvoeding wordt gegeven, eerst uw arts te raadplegen.

Wijze van gebruik
Tenzij anders is voorgeschreven, naar behoefte op de huid
aanbrengen.

Gebruiksduur:
Indien noodzakelijk kan het middel langdurig worden toegepast. Indien de klachten aanhouden is het verstandig een arts
te raadplegen.

USNEA COMPLEX

Samenstelling:
Cetraria islandica ø = D1 - 40% (IJslands mos)
Larix decidua ø - 5% (Europese larix)
Petasites hybridus ø - 5% (groot hoefblad)
Pinus silvestris ø - 5% (grove den)
Plantago lanceolata ø - 15% (smalle weegbree)
Usnea barbata ø = D1 - 30% (baardmos).

Eigenschappen van de bestanddelen:
Cetraria islandica ø = D1 vermindert de hoestprikkel en werkt
verzachtend.

Larix decidua ø vermindert de productie van slijm en doet slijm vervloeien.

Petasites hybridus ø werkt pijnstillend, krampopheffend en slijmoplossend.

Pinus silvestris ø vermindert bij bronchiale klachten en verkoudheid de productie van slijm en vergemakkelijkt het vervloeien van slijm.

Plantago lanceolata ø werkt antibacterieel, vermindert de irritatie van ontstoken slijmvliezen in de luchtwegen en bevordert het ophoesten van slijm.

Usnea barbata ø = D1 remt de bacteriegroei en beschermt de slijmvliezen van de bovenste luchtwegen.

Gebruiken bij:
- heesheid
- keelontsteking
- strottenhoofdontsteking
- keelpijn
- chronische, steeds terugkerende verkoudheid
- aandoeningen van de bovenste luchtwegen met veel last van
- ontstoken slijmvliezen en hoesten.

Niet gebruiken bij:
Er zijn geen omstandigheden bekend waarbij het gebruik van dit middel moet worden ontraden.

Bijwerkingen:
Van dit middel zijn geen bijwerkingen bekend.

Combinatie met andere geneesmiddelen:
U kunt dit geneesmiddel in het algemeen zonder bezwaar gelijktijdig met andere medicijnen gebruiken.

Gebruik tijdens zwangerschap of borstvoeding:
Dit geneesmiddel kan, voorzover bekend, zonder bezwaar overeenkomstig de voorgeschreven dosering worden gebruikt. Het verdient in het algemeen aanbeveling bij gebruik van geneesmiddelen tijdens de zwangerschap en de periode waarin borstvoeding wordt gegeven, eerst uw arts te raadplegen.

Wijze van gebruik:
Tenzij anders is voorgeschreven, 3x daags 10-20 druppels
vóór de maaltijd in wat water innemen.

Gebruiksduur:
Indien noodzakelijk kan het middel langdurig worden toegepast. Indien de klachten aanhouden is het verstandig een arts
te raadplegen.

Bewaren:
In dit middel kan enig bezinksel ontstaan. Dit heeft geen nadelige invloed op de geneeskrachtige werking.

USNEA HOESTPASTILLES

Samenstelling:
Cetraria islandica ø = D1 sicc. - 0,63% (IJslands mos)
Glycyrrhiza glabra extr. - 4,16% (zoethout)
Iris florentina pulv. - 0,60% (Florentijnse lis)
Larix decidua ø sicc. - 0,08% (Europese larix)
Petasites hybridus ø sicc. - 0,08% (groot hoefblad)
Pinus silvestris ø sicc. - 0,08% (grove den)
Plantago lanceolata ø sicc. - 0,24% (smalle weegbree)
Usnea barbata ø = D1 sicc. - 0,47% (baardmos).

Eigenschappen van de bestanddelen:
Cetraria islandica ø = D1 sicc. vermindert de hoestprikkel en
werkt antibiotisch.
Glycyrrhiza glabra werkt ontstekingsremmend en vergemak-
kelijkt het ophoesten van slijm.
Iris florentina vergemakkelijkt het ophoesten van slijm
Larix decidua ø vermindert bij bronchiale klachten en
verkoudheid de produktie van slijm.
Petasites hybridus ø Werkt pijnstillend, krampopheffend en
vermindert bij bronchiale klachten de produktie van slijm.
Pinus silvestris ø vergemakkelijkt het vervloeien van slijm.
Plantago lanceolata ø werkt antiseptisch en vermindert de
irritatie van ontstoken slijmvliezen in de luchtwegen, bevordert het ophoesten van slijm.

Usnea barbata ø = D1 remt de bacteriegroei en beschermt de slijmvliezen van de bovenste luchtwegen.

Gebruiken bij:
- chronische verkoudheid
- klachten aan de bovenste luchtwegen met veel slijmvorming en droge of prikkelhoest.

Niet gebruiken bij:
Er zijn geen omstandigheden bekend waarbij het gebruik van dit middel moet worden ontraden.

Waarschuwing!
Usnea hoestpastilles bevatten suiker. Eén tablet komt overeen met ca. 4kJ. Suikerpatiënten dienen hier rekening mee te houden.

Bijwerkingen:
Van dit middel zijn geen bijwerkingen bekend.

Combinatie met andere geneesmiddelen:
U kunt dit geneesmiddel in het algemeen zonder bezwaar gelijktijdig met andere medicijnen gebruiken.

Gebruik tijdens zwangerschap of borstvoeding:
Dit geneesmiddel kan, voorzover bekend, zonder bezwaar overeenkomstig de voorgeschreven dosering worden gebruikt. Het verdient in het algemeen aanbeveling bij gebruik van geneesmiddelen tijdens de zwangerschap en de periode waarin borstvoeding wordt gegeven, eerst uw arts te raadplegen.

Wijze van gebruik:
Tenzij anders is voorgeschreven, naar behoefte 1 of 2 tabletten in de mond laten smelten.

Gebruiksduur:
Indien noodzakelijk kan het middel langdurig worden toegepast. Indien de klachten aanhouden is het verstandig een arts te raadplegen.

VALERIAAN tinctuur

Samenstelling:
Valeriana officinalis ø = D1 (valeriaan).

Eigenschappen van de bestanddelen:
Valeriana officinalis ø = D1 ontspant, werkt kalmerend op het centrale zenuwstelsel (vermindert het beven ten gevolge van nervositeit) en vergemakkelijkt het in slaap komen. De werking is snel, maar kort van duur.

Gebruiken bij:
- nervositeit
- prikkelbaarheid
- slapeloosheid (moeilijk in slaap komen).

Niet gebruiken bij:
Er zijn geen omstandigheden bekend waarbij het gebruik van dit middel moet worden ontraden.

Bijwerkingen:
Van dit middel zijn bij de aangegeven dosering geen bijwerkingen bekend.

Combinatie met andere geneesmiddelen:
U kunt dit geneesmiddel in het algemeen zonder bezwaar gelijktijdig met andere medicijnen gebruiken.

Gebruik tijdens zwangerschap of borstvoeding:
Dit geneesmiddel kan, voorzover bekend, zonder bezwaar overeenkomstig de voorgeschreven dosering worden gebruikt. Het verdient in het algemeen aanbeveling bij gebruik van geneesmiddelen tijdens de zwangerschap en de periode waarin borstvoeding wordt gegeven, eerst uw arts te raadplegen.

Wijze van gebruik:
Tenzij anders is voorgeschreven, 3x daags 20-30 druppels vóór de maaltijd in wat water innemen (bij slapeloosheid: voor het naar bed gaan nog eens 60 druppels extra).

Gebruiksduur:
Indien noodzakelijk kan het middel langdurig worden toegepast. Indien de klachten aanhouden is het verstandig een arts te raadplegen.

Bewaren:
In dit middel kan enig bezinksel ontstaan. Dit heeft geen nadelige invloed op de geneeskrachtige werking.

VINCA MINOR tinctuur

Samenstelling:
Vinca minor ø (kleine maagdenpalm).

Eigenschappen van de bestanddelen:
Vinca minor ø verbetert de doorbloeding van de hersenen en de opname van zuurstof en glycose ter plaatse.

Gebruiken bij:
- verminderde doorbloeding van de hersenen en de gevolgen daarvan zoals: hoofdpijn, duizeligheid en vergeetachtigheid.

Niet gebruiken bij:
Er zijn geen omstandigheden bekend waarbij het gebruik van dit middel moet worden ontraden.

Bijwerkingen:
Van dit middel zijn bij de aangegeven dosering geen bijwerkingen bekend.

Combinatie met andere geneesmiddelen:
U kunt dit geneesmiddel in het algemeen zonder bezwaar gelijktijdig met andere medicijnen gebruiken.

Gebruik tijdens zwangerschap of borstvoeding:
Dit geneesmiddel kan, voorzover bekend, zonder bezwaar overeenkomstig de voorgeschreven dosering worden gebruikt. Het verdient in het algemeen aanbeveling bij gebruik van geneesmiddelen tijdens de zwangerschap en de periode waar-

in borstvoeding wordt gegeven, eerst uw arts te raadplegen.

Wijze van gebruik:
Tenzij anders is voorgeschreven, 3x daags 10-20 druppels
vóór de maaltijd in wat water innemen.

Gebruiksduur:
Indien noodzakelijk kan het middel langdurig worden toegepast. Indien de klachten aanhouden is het verstandig een arts
te raadplegen.

Bewaren:
In dit middel kan enig bezinksel ontstaan. Dit heeft geen nadelige invloed op de geneeskrachtige werking.

VIOLA TRICOLOR tinctuur

Samenstelling:
Viola tricolor ø (driekleurig viooltje).

Eigenschappen van de bestanddelen:
Viola tricolor ø werkt urinedrijvend en bloedzuiverend, en
wordt van oudsher bij huidaandoeningen toegepast.

Gebruiken bij:
- eczeem
- dauwworm
- acne.

Niet gebruiken bij:
Er zijn geen omstandigheden bekend waarbij het gebruik van
dit middel moet worden ontraden.

Bijwerkingen:
Van dit middel zijn geen bijwerkingen bekend.

Combinatie met andere geneesmiddelen:
U kunt dit geneesmiddel in het algemeen zonder bezwaar
gelijktijdig met andere medicijnen gebruiken.

Gebruik tijdens zwangerschap of borstvoeding:
Dit geneesmiddel kan, voorzover bekend, zonder bezwaar
overeenkomstig de voorgeschreven dosering worden gebruikt.
Het verdient in het algemeen aanbeveling bij gebruik van
geneesmiddelen tijdens de zwangerschap en de periode waarin borstvoeding wordt gegeven, eerst uw arts te raadplegen.

Wijze van gebruik:
Tenzij anders is voorgeschreven, 3x daags 20 druppels met
wat water innemen. Uitwendig: de huid ermee deppen, eventueel verdund met afgekoeld, gekookt water.

Gebruiksduur:
Indien noodzakelijk kan het middel langdurig worden toegepast. Indien de klachten aanhouden is het verstandig een arts
te raadplegen.

Bewaren:
In dit middel kan enig bezinksel ontstaan. Dit heeft geen nadelige invloed op de geneeskrachtige werking.

VISCUM ALBUM tinctuur

Samenstelling:
Viscum album ø (maretak).

Eigenschappen van de bestanddelen:
Viscum album ø werkt o.a. bloeddrukverlagend en heeft een
gunstig effect op de gevolgen van hoge bloeddruk, zoals
hoofdpijn en duizeligheid.

Gebruiken bij:
- hoge bloeddruk.

Niet gebruiken bij:
Er zijn geen omstandigheden bekend waarbij het gebruik van
dit middel moet worden ontraden.

Bijwerkingen:
Van dit middel zijn geen bijwerkingen bekend.

Combinatie met andere geneesmiddelen:
U kunt dit geneesmiddel in het algemeen zonder bezwaar
gelijktijdig met andere medicijnen gebruiken.

Gebruik tijdens zwangerschap of borstvoeding:
Dit geneesmiddel kan, voorzover bekend, zonder bezwaar
overeenkomstig de voorgeschreven dosering worden gebruikt.
Het verdient in het algemeen aanbeveling bij gebruik van
geneesmiddelen tijdens de zwangerschap en de periode waarin borstvoeding wordt gegeven, eerst uw arts te raadplegen.

Wijze van gebruik:
Tenzij anders is voorgeschreven, 3x daags 10-20 druppels
vóór de maaltijd in wat water innemen.

Gebruiksduur:
Indien noodzakelijk kan het middel langdurig worden toegepast. Indien de klachten aanhouden is het verstandig een arts
te raadplegen.

Bewaren:
In dit middel kan enig bezinksel ontstaan. Dit heeft geen nadelige invloed op de geneeskrachtige werking.

WITTE LEEM

Samenstelling:
Bolus alba (witte leem).

Eigenschappen van de bestanddelen:
Witte leem heeft bij inwendig gebruik een zuurbindend en
neutraliserend effect. Het absorbeert giftige stoffen.
Uitwendig is er sprake van een gunstig effect bij kneuzingen
en gewrichtspijnen.

Gebruiken bij:
- diarree
- opgeblazen gevoel

- darmgassen
- dysbacteriose
- kneuzingen
- gewrichtspijnen.

Niet gebruiken bij:
Vanwege het absorberende vermogen van Witte leem is het gelijktijdig gebruik van dit geneesmiddel èn geneesmiddelen als antistollingsmiddelen en de anticonceptiepil af te raden. Niet gebruiken bij diarree bij kinderen jonger dan 3 jaar.

Bijwerkingen:
Van dit middel zijn geen bijwerkingen bekend.

Combinatie met andere geneesmiddelen:
Witte leem kan andere geneesmiddelen aan zich binden en zo de opname verminderen. Innemen tenminste 2 uur na het gebruik van andere geneesmiddelen.

Gebruik tijdens zwangerschap of borstvoeding:
Dit geneesmiddel kan, voorzover bekend, zonder bezwaar overeenkomstig de voorgeschreven dosering worden gebruikt. Het verdient in het algemeen aanbeveling bij gebruik van geneesmiddelen tijdens de zwangerschap en de periode waarin borstvoeding wordt gegeven, eerst uw arts te raadplegen.

Wijze van gebruik:
Tenzij anders is voorgeschreven, 3x daags 1-2 theelepels (3-6 ml) goed mengen in een glas niet- bruisend bronwater en vóór de eventuele maaltijd opdrinken. Uitwendig: papje maken met warm water; als omslag op de pijnlijke plaats aanbrengen.

Hoofdstuk 4

Voedingsmiddelen en voedingssupplementen

Vitaal APIFORCE

Samenstelling:
Honing met zuivere koninginnengelei.
Vitaal Apiforce bevat veel natuurlijke vitaminen uit het B-complex en voorts eiwitten, koolhydraten, lipoïden en spoor-elementen.

Vitaal Apiforce verhoogt het prestatievermogen en is een effectief voedingssupplement tijdens de herstelperiode na ziekte, voor verzwakte kinderen, bij lusteloosheid en tijdens de overgang. Een (kleine) theelepel (ca. 3 g) op de nuchtere maag is al voldoende.

Niet gebruiken bij:
Suikerziekte.

BAMBU instant vruchtenkoffie

Bambu is een natuurzuivere drank waaraan geen chemicaliën of koffiebonen zijn toegevoegd. Het is een ideale drank voor personen die geen koffie mogen of willen gebruiken, bijvoorbeeld omdat gewone koffie hen uit de slaap houdt. Bambu heeft een gunstig effect op maag en darmen.
Een theelepel Bambu oplossen in een kopje hete melk of water.

Ingrediënten:
Cichorei, vijgen, tarwe, gemoute gerst en eikels. Alle ingrediënten zijn biologisch gekweekt. Een kopje Bambu bevat 8,2 kJ (= 2 kcal).

HERBAMARE kruidenstrooisel

Dit kruidenmengsel kan worden gebruikt in plaats van keukenzout. Dit heerlijke natuurproduct verbetert de smaak van talloze spijzen. Herbamare nooit meekoken, maar pas ná het koken aan de spijzen toevoegen.

Ingrediënten:
Steenzout en kaliumchloride, aangevuld met verse keukenkruiden (selderij, prei, uien, waterkers, mierikswortel, peterselie en bieslook). De zeeplant kelp levert enkele belangrijke spoorelementen.

KELPAFORCE gistextract

Kelpaforce bevat veel edelgistextract en veel vitaminen uit de B-groep, alsmede waardevolle spoorelementen. Het smaakt uitstekend als smeersel op (belegd) brood of op toastjes. Ook voor het kruiden van spijzen en bij de bereiding van soepen en andere gerechten is Kelpaforce erg geschikt.

Ingrediënten:
Gistextract, plantaardige vetten en eiwitten, tomaten, ingedikt wortelsap, sojasaus en zeewierextract.

KELPAMARE plantaardig soeparoma

Kelpamare bevat het extract van vers verwerkte, biologisch gekweekte groenten en smaakt heerlijk in soepen, sausen, meelspijzen, groenten, salades en rijstgerechten.

Ingrediënten:
Plantaardige eiwitten, sojasaus, zeewierextract en NaCl 4 cc 16%.

MOLKOSAN gezuiverde, geconcentreerde Zwitserse wei

Ingrediënten:
Geconcentreerde verse wei van Zwitserse koemelk, rechtsdraaiende melkzuren.

Toepassing:
Inwendig:
als tafelwater, ter verbetering van de spijsvertering (een eetlepel op een glas water); Molkosan reguleert de maagzuurproductie en heeft een sterk ontsmettende werking; in plaats van azijn, bij de bereiding van salades.

Uitwendig:
bij allerlei huidaandoeningen: deppen met Molkosan (1 deel Molkosan verdund met gekookt en afgekoeld water). bij keelpijn: amandelen ermee penselen; gorgelen (1 deel Molkosan verdund met gekookt en afgekoeld water). bij haaruitval en roos: na het wassen wat Molkosan toevoegen aan het laatste spoelwater.

Molkosan is na openen van de fles beperkt houdbaar. Een eventueel bezinksel (eiwitvorming) kan met behulp van een filterzakje worden verwijderd.

PLANTAFORCE plantaardige soeppasta

Samenstelling:
Groentenextract, gist, plantaardig vet, tomaten- en paprika-extract en de zouten uit groenten en keukenkruiden.
Een kopje (ca. 2 dl) bouillon bevat 63 kJ (= 15 kcal).

Plantaforce heeft een heerlijk pittige smaak en kan als bouillon of als basis voor soep worden gebruikt. Voor een kop bouillon is een dessertlepel (= 5 g) voldoende. Oplossen in heet water.

Vitaal POLLEN korrels

Samenstelling:
Stuifmeelkorrels, door bijen gevormd uit bloesemstuifmeel en nectar.

Vitaal Pollen wordt gebruikt bij extra belasting, moedeloosheid, vetzucht, en wanneer men het prestatievermogen wil verbeteren. Vitaal Pollen bevat waardevolle aminozuren, enzymen, linolzuur en verschillende natuurlijke vitaminen zoals A, B_1, B_2, B_3, B_5, B_6, C, F, H, P en PP, alsmede mineralen, spoorelementen en antibiotisch werkende stoffen.
2 à 3 theelepels (à 2 g) per dag is al voldoende, kinderen 1 à 2 theelepels.

Vitaal POLLEN tabletten

Samenstelling:
Stuifmeelkorrels en honing.

Vitaal Pollen tabletten worden gebruikt bij extra belasting, moedeloosheid, vetzucht, en wanneer men het prestatievermogen wil verbeteren.
Vitaal Pollen tabletten bevatten waardevolle aminozuren, enzymen, linolzuur en verschillende vitaminen zoals A, B_1, B_2, B_3, B_5, B_6, C, F, H, P en PP, alsmede mineralen, spoorelementen en antibiotisch werkende stoffen.
De tabletten zijn gemakkelijk in te nemen.

Wijze van gebruik:
Volwassenen:
2x daags vóór de maaltijd 1-2 tabletten innemen.
Kinderen:
1 tablet per dag, vóór de maaltijd innemen. Tabletten langzaam kauwen of in de mond uiteen laten vallen.

Vitaal TARWEKIEMOLIE

Samenstelling:
Koudgeperste olie uit tarwekiemen.

Vitaal Tarwekiemolie bevat veel onverzadigde vetzuren. Deze spelen een belangrijke rol bij de opbouw en instandhouding van lichaamscellen.

Wijze van gebruik:
3x daags 1 theelepel (à 3 ml) is al voldoende, kinderen de helft.

Vitaal TARWEKIEMOLIE capsules

Samenstelling:
Koudgeperste olie uit tarwekiemen in gelatinecapsules.

Vitaal Tarwekiemolie bevat veel onverzadigde vetzuren. Deze spelen een belangrijke rol bij de opbouw en instandhouding van lichaamscellen.

Wijze van gebruik:
2 x daags 1 capsule is al voldoende.

VITAAL EXTRACT

Samenstelling:
Duindoornsap, sinaasappelsap, moutextract, tarwekiemextract, dadel- en druivensuiker, honing, pollen, doerian, gistextract en rozenbottels.

Vitaal Extract wordt gebruikt wanneer het lichaam behoefte heeft aan extra mineralen, bijv. als gevolg van slechte leef- en eetgewoonten, tijdens stress en bij herstel na ziekte.

Niet gebruiken bij:
Suikerziekte.

Wijze van gebruik:
3 x daags 1 à 2 dessertlepels vóór de maaltijd, kinderen de
helft. Vitaal Extract kan desgewenst aan een glas vruchtensap
worden toegevoegd.

VITAAL SENIOR capsules

Samenstelling:
Extracten van knoflook, meidoorn, passiebloem, alsmede vitamine E.
Vitaal Senior capsules verbeteren de prestaties en verminderen de klachten bij het ouder worden, zoals lusteloosheid,
aderverkalking en hoge bloeddruk. Het middel zorgt ook voor
een betere spijsvertering, gaat nervositeit en hartkloppingen
tegen en heeft een gunstig effect op hart en bloedvaten.

Wijze van gebruik:
3 x daags 1-2 capsules vóór de maaltijd met wat vloeistof
innemen.

Vitaal VITAMINE C COMPLEX tabletten

Samenstelling:
Acerola-kers, duindoorn, rozenbottels, zwarte bes,
passievrucht, citroen en vruchtensuiker.
1 tablet bevat ca. 100 mg vitamine C.

Vitaal Vitamine C complex tabletten verbeteren de weerstand.
Deze tabletten bevatten uitsluitend zuiver natuurlijke stoffen,
afkomstig van verschillende vitamine C-bevattende vruchten.

Wijze van gebruik:
1 kauwtablet per dag.

VRUCHTENKOFFIE

Deze vruchtenkoffie is een natuurzuiver alternatief voor
bonenkoffie en daardoor ideaal voor personen die geen koffie
mogen of willen gebruiken. Zetten als filterkoffie. Liefst met
gewone melk serveren. Niet te lang laten staan, de smaak
wordt dan erg sterk.
Een koffie die de slaap niet verdrijft.

Samenstelling:
Granen, eikels, peulvruchten en cichorei.

Hoofdstuk 5

Natuurlijke producten voor lichaamsverzorging

CRÈME SYMPHYTUM
voedende crème

Samenstelling:
Bevat o.a. Symphytum officinale (smeerwortel), Arnica montana flores (valkruid) en Viola tricolor (driekleurig viooltje).

Houdt de huid soepel en jeugdig. Werkt verrassend goed tegen kraaienpootjes en bij grove huid. Heeft een voedende en enigszins adstringerende (= samentrekkende) werking. Geschikt voor alle huidtypen.

JOHANNESOLIE
huidverzorgende olie

Samenstelling:
Bevat o.a. Hypericum perforatum (sint-janskruid).

Bevordert de doorbloeding tot in de kleinste haarvaten. Zeer geschikt om er na een heet bad de huid mee in te wrijven. Helpt mee aan het behoud van de souplesse van een mooie, gezonde huid. Bij uitstek geschikt voor het babyhuidje.

MONDWATER
verstuiver

Samenstelling:
Bevat o.a. Pimpinella anisum (anijs), Sanicula europaea (heelkruid), Pimpinella saxifraga (kleine bevernel), Balsamodendron myrrha (mirre), Mentha piperita (pepermunt), Krameria triandra (Peruvaanse krameria), Salvia

officinalis (echte salie), Pterocarpus santalinus en Spilanthes oleoracea (spilanthes).

Het heeft een desinfecterende werking en helpt het tandvlees gezond te houden.

SPECIAALZEEP ECHINACEA
zeep

Samenstelling:
Bevat o.a. Echinacea purpurea (rode zonnehoed); vrij van chemische kleur- en reukstoffen.

Vooral geschikt voor de huid die snel wordt ontsierd door allerlei ontstekingen. Helpt infecties te voorkomen.

SPECIAALZEEP HAMAMELIS
zeep

Samenstelling:
Bevat o.a. Hamamelis virginiana (Virginische toverhazelaar); vrij van chemische kleur- en reukstoffen.

Geschikt voor personen die overmatig transpireren.

SPECIAALZEEP SYMPHYTUM
zeep

Samenstelling:
Bevat o.a. Symphytum officinale (smeerwortel); vrij van chemische kleur- en reukstoffen.

Vooral geschikt voor de gevoelige huid. Maakt de huid soepel en glad.

SYMPHYTUM SHAMPOO
shampoo

Samenstelling:
Bevat o.a. Symphytum officinale (smeerwortel), Echinacea
purpurea (rode zonnehoed), Urtica urens (kleine brandnetel)
en Arnica montana flores (valkruid).

Geeft het haar een gezonde natuurlijke glans. Kan desgewenst
dagelijks worden gebruikt.

SYMPHYTUM TOILETZEEP
zeep

Samenstelling:
Bevat o.a. Symphytum officinale (smeerwortel), Calendula
officinalis (goudsbloem) en Viola tricolor (driekleurig viooltje); vrij van chemische kleur- en reukstoffen.

Stimuleert de natuurlijke spankracht en elasticiteit van de
huid.

TANDPASTA
tandpasta

Samenstelling:
Bevat o.a. Echinacea purpurea (rode zonnehoed), Potentilla
erecta (tormentil), Glycyrrhiza glabra (zoethout), Mentha
piperita (pepermunt), Rosmarinus officinalis (rozemarijn) en
Eucalyptus globulus (eucalyptus).

Geneeskrachtige planten geven deze tandpasta een bijzonder
frisse smaak, die nog lang na het borstelen in de mond blijft.
De bijzondere samenstelling helpt het tandvlees gezond te
houden en ontziet het glazuur. Ook te gebruiken bij bloedend
tandvlees.

Opmerking:
Deze tandpasta bevat geen fluoride.

UIENHAARWATER
haarwater

Samenstelling:
Bevat o.a. Allium cepa (gewone ui).

De natuurlijke zwavel in dit product werkt tegen roos en haaruitval.

ZALFOLIE ORANGE
huidolie

Samenstelling:
Bevat o.a. Citrus sinensis (sinaasappel) op olijfolie.

Geschikt voor de normale en de droge huid, ook die van de
baby. Geeft rust aan de huid van gespannen en nerveuze personen.

Hoofdstuk 6

Aandoeningen en bijpassende geneesmiddelen

Naast de aandoening worden in de onderstaande tabel de belangrijkste natuurlijke geneesmiddelen aangegeven. Het verdient aanbeveling bij gebruik van een middel de uitgebreide informatie in deze gids op te zoeken.
Een aantal aandoeningen leent zich beslist niet voor zelfmedicatie. Deze zijn voorzien van een sterretje (*). Raadpleeg in dergelijke gevallen of bij twijfel altijd uw huisarts (specialist).

AANDOENING	HOOFDMIDDEL
aambeien:	
bij gebrekkige leverfunctie	Carduus marianus tinctuur
ter bevordering van de bloedsomloop	Hyperisan tinctuur
ter bevordering van de stoelgang	Linoforce
ter verbetering van de bloedvaten	Aesculaforce
ter verzachting van pijn en jeuk	Hamameliszalf, Aqua hamamelidis C.M.N.
aangezichtspijn	Aconitum D4
abces*	Echinaforce, Hepar sulfuris D4
acne, zie jeugdpuistjes	
adem, onwelriekend	Boldocynara
aderontsteking*	Aesculaforce, Arnica flores tinctuur
aderverkalking*	Allisan, Geriaforce
aften	Echinaforce
allergie	Pollinosan
amandelen,* chronisch vergroot	Barium carbonicum D6, Calcium carbonicum D6

265

angina pectoris*	Crataegus complex
angst: *bij kinderen*	Chamomilla D4, Calcium carbonicum D6
bij volwassenen	Aconitum D10, Arsenicum album D4
anorexia*	Angelica tinctuur
artritis*	Atrosan, Symphosan (uitwendig)
artrose	Alchemilla complex Atrosan
asthma bronchiale*	Petasin capsules, Petasan siroop
astmatische bronchitis*	Petasan siroop
bedwateren	Monarda complex
beenbreuk*	Urticalcin, Arnica D6, Symphosan (uitwendig)
belroos	Echinaforce, Crème Echinaforce
bevalling, hertel	Arnica D6
bijholteontsteking	Cinuforce, Cinnabaris D3, Hepar sulfuris D4, Echinaforce, Po-Ho-Olie
bindweefselzwakte	Calcium fluoratum D12

blaasontsteking:*
  acute
  chronische
	Monarda complex,
	Echinaforce,
	Solidago complex

blaren	Johannesolie medici- naal, Cantharis D6
bloedarmoede t.g.v. ijzergebrek	Ferrum phosphoricum D12, Natrium muriaticum D6

bloeddruk* , hoge	Allisan, Geriaforce, Solidago complex
bloedneus	Bursapastoris tinctuur
bloedsomloopstoornissen*	Hyperisan, Aesculaforce, Geriaforce
bloeduitstorting	Crème Arnicaforce
bloedvergiftiging*	Lachesis D12
bof	Arnica flores tinctuur, Echinaforce
borstklierontsteking	Echinaforce, Arnica flores tinctuur (uitwendig), Crème Bioforce
borstvoeding:	
remmen	Salvia tinctuur,
stimuleren	Urtica tinctuur
botbreuk*	Urticalcin, Arnica D6, Symphosan (uitwendig)
botontkalking*	Urticalcin
braken	Nux vomica D4
brandwonden:*	
door zonnebrand	Cantharis D6
algemeen	Echinaforce, Crème Echinaforce (1e graads)
bronchitis*	Echinaforce, Drosera complex, Drosinula siroop
buikpijn:	
bij kinderen	Chamomilla D4
bij volwassenen	Belladonna D4
cara,* zie: asthma bronchiale, astmatische bronchitis, emfyseem	
cariës , voorkomen van cariës	Urticalcin
cholesterolgehalte,* te hoog	Allisan, Boldocynara
concentratiestoornissen	Geriaforce, Allisan

darmgassen:
  algemeen   Aciforce,
                                                Edisan,
                                                Boldocynara,
                                                Daslookdruppels,
  t.g.v. maagaandoening   Boldocynara,
                                                Daslookdruppels

darmkrampen:*
  bij kinderen   Chamomilla D4
  bij volwassenen   Belladonna D4

dauwworm   Molkosan,
                                                Crème Bioforce,
                                                Viola tricolor tinctuur

depressiviteit*   Hyperiforce Forte,
                                                Hypericum tinctuur

diabetes:*
  complicaties met netvliesontsteking   Geriaforce
  slecht helende wondjes   Mierikswortel tinctuur
  mellitus, type I en II   Myrtillus complex

diarree*   Tormentavena,
                                                Aciforce

doofheid:*
  t.g.v. circulatiestoornis in de hersenen   Geriaforce,
                                                Allisan,
  t.g.v. middenoorontsteking   Plantago tinctuur

doorliggen*   Geriaforce,
                                                Crème Bioforce

drugsverslaving*   Avena sativa complex

duizeligheid: *
  bij hoge bloeddruk   Viscum album tinctuur
  bij slechte doorbloeding hersenen   Geriaforce

dysbacteriose*   Boldocynara,
                                                Daslookdruppels,
                                                Aciforce,
                                                Molkosan

eczeem   Crème Bioforce,
                                                Viola tricolor tinctuur,
                                                Molkosan

eeltknobbels   Symphosan (uitwendig)

eetlust, verminderd
eksteroog
emfyseem,* longemfyseem

Angelica ø = D1
Symphosan (uitwendig)
Galeopsis tinctuur

etalageziekte*

Geriaforce,
Allisan

examenvrees

Passiflora complex

fijt*

Echinaforce

fistel:*
   bevordert rijping
   weerstandsverhogend

Hepar sulfuris D4
Echinaforce

gaatjes in tanden, voorkomen van

Urticalcin

galstenen:*
   therapie
   voorkomen van galstenen

Taraxacum tinctuur
Boldocynara

geelzucht*

Boldocynara

geheugenzwakte

Geriaforce

gerstekorrel

Euphrasia complex

gewrichtspijn, zie artritis, artrose, jicht, spit

gewrichtsslijtage*

Alchemilla complex,
Symphosan (uitwendig)

gordelroos*

Crème Echinaforce,
Mezereum D3,
Rhus toxicodendron D4

griep:
   therapie

Influaforce N,
Echinaforce

   voorkomen van

Echinaforce,
Gelsemium D6,
Urticalcin

haargroei, bevordering

Silicea D12

haaruitval:
   door schimmelziekte

Spilanthes ø = D1
(uitwendig)

   door stress

Acidum phosphoricum   D4

hardhorendheid,* zie doofheid

hartritmestoornissen*

Crataegus complex

hartslag:*
te snel bij te sterke werking schildklier D1/D3   Lycopus europaeus

   te snel   Lycopus virginicus D6

hartzwakte*   Crataegus complex,
Solidago complex

heesheid   Santasapina

hernia*   Alchemilla complex,
Symphosan (uitwendig)

hersenschudding*   Arnica D6
  herstel:
  na bevalling   Arnica D6
  na operatie   Arnica D6
  na ziekte   Solidago complex,
Boldocynara

hoesten:
  droge of prikkelhoest   Santasapina,
Drosera complex

  krampachtige, benauwde hoest   Petasan siroop,
Drosera complex

  met veel slijm   Drosinula siroop,
Drosera complex

hoofdpijn:
  algemeen   Po-Ho-Olie,
Petasin capsules
  barstende hoofdpijn rond menstruatieperiode   Pulsatilla D6
  bij iedere stap met een hamer geslagen   Natrium muriaticum D6
  bij schoolgaande kinderen   Calcium phosphoricum D6
  kloppende, rechtszijdige hoofdpijn   Belladonna D4
  linkszijdig, bij nerveuze vrouwen   Ignatia D6
  linkszijdig, na ontwaken   Lachesis D12
  na drukte en spanning, roken, alcoholgebruik   Nux vomica D4
  rechtszijdige hoofdpijn met braken   Sanguinaria D4
  rond de menstruatieperiode   Gelsemium D6
  wordt erger door warmte/bewegen   Bryonia D3
  spanningshoofdpijn met zwaar hoofd   Gelsemium D6

hooikoorts   Pollinosan

huiduitslag   Molkosan,
Crème Bioforce,
Viola tricolor tinctuur

huisstofallergie   Pollinosan

hyperventilatie   Passiflora complex,
Aconitum D10

hypoglykemie*	Myrtillus complex, Ginseng complex
incontinentie:*	
stress-incontinentie	Causticum D4
urge-incontinentie	Monarda complex
inenting, klachten na inenting	Thuja D6
infecties:	
algemeen	Echinaforce, Urticalcin
secundair	Eupatorium complex, Tropaeolum complex
insectensteken	Apis D4, Po-Ho-Olie
ischias*	Alchemilla complex, Symphosan (uitwendig)
jeugdpuistjes	Crème Echinaforce, Viola tricolor tinctuur
jeuk	Urtica tinctuur, Viola tricolor tinctuur, Boldocynara, Mezereum D3
jicht*	Atrosan, Symphosan (uitwendig), Imperarthritica
kalkgebrek	Urticalcin
karbunkel*	Echinaforce, Crème Echinaforce, Hepar sulfuris D4
keelontsteking*	Eupatorium complex
keelpijn	Echinaforce, Usnea complex
kinkhoest*	Drosera complex
kneuzingen	Crème Arnicaforce, Symphosan (uitw.), Arnica tinctuur (uitw.), Arnica D6
koorts*	Gelsemium complex

271

koortslip	Crème Echinaforce
koortsuitslag	Crème Echinaforce, Natrium muriaticum D6, Echinaforce
kramp in de benen*	Aesculaforce, Geriaforce
kwallenbeten	Crème Menthaforce, Apis D4
levercirrose*	Carduus marianus tinctuur
leverontsteking*	Carduus marianus tinctuur
leverziekte*	Boldocynara
likdoorn	Symphosan (uitwendig)
littekens	Crème Symvita
loopoor*	Hepar sulfuris D4, Silicea D12
luchtziekte	Cocculus D4, Tabacum D4, Nux vomica D4
luiereczeem	Johannesolie medicinaal, Crème Bioforce
maag- en darmkrampen*	Petasin capsules, Belladonna D4
maagslijmvliesontsteking*	Edisan

maagzuur:
  te veel
  te weinig
	
	Edisan
	Edisan

maagzweer*	Edisan
managerziekte	Nux vomica D4, Eleutherococcus ø = D1
mazelen	Gelsemium complex, Echinaforce
Menière, ziekte van*	Cocculus D4

menstruatie:*	
onregelmatig	Ovasan, Ovaria siccata D3
te sterk	Ovasan, Bursapastoris tinctuur
te zwak	Ovasan, Ovaria siccata D3
menstruatiepijn	Ovasan
middenoorontsteking*	Echinaforce, Urticalcin, Plantago tinctuur
migraine,* profylactisch	Vinca minor tinctuur (zie hoofdpijn)
misselijkheid	Nux vomica D4
mondslijmvliesontsteking	Echinaforce, Spilanthes ø = D1
nachtblindheid	Hyperisan
nagelplooi-ettering,* zie fijt	
nagels, broze	Urticalcin
neerslachtigheid,* zie depressiviteit	
negenoog*	Echinaforce, Crème Echinaforce, Hepar sulfuris D4
nervositeit	Passiflora complex, Avena sativa complex
netelroos*	Crème Bioforce, Molkosan
neusamandel, vergrote*	Marum verum tinctuur
neuspoliepen*	Marum verum tinctuur
neusslijmvlies ontsteking:*	
acute	Echinaforce, Po-Ho-Olie, Crème Menthaforce
chronisch	Echinaforce, Urticalcin, Usnea complex, Crème Menthaforce
voorkomen	Echinaforce, Urticalcin

nierbekkenontsteking*	Solidago complex, Echinaforce
nierontsteking*	Solidago complex, Echinaforce
niersteenkoliek*	Petasin capsules
obstipatie:	
algemeen	Linoforce
bij zwangerschap	Linosan
oedeem*	Solidago complex
ogen, vermoeide	Euphrasia complex, Geriaforce
omloop*	Echinaforce, Crème Echinaforce
ontwenning bij roken	Avena sativa complex, Tabacum D12
oogbindvliesontsteking*	Euphrasia complex
ooglidontsteking*	Euphrasia complex
oorontsteking*	Plantago tinctuur, Hepar sulfuris D4
oorpijn*	Plantago tinctuur, Johannesolie medicinaal
oorsmeerproppen	Johannesolie medicinaal
oorsuizen*	Geriaforce
open been*	Geriaforce, Crème Echinaforce
opgeblazen gevoel	Gastronol, Boldocynara, Aciforce
opvliegers	Famosan
ouderdomshart*	Crataegus complex, Solidago complex
ouderdomsverschijnselen*	Allisan, Vitaal Senior
overgangsklachten	Famosan
overgeven, zie braken	

overgewicht, zie zwaarlijvigheid

overspannenheid	Ginseng complex, Eleutherococcus ø = D1
overwerktheid	Ginseng complex, Eleutherococcus ø = D1
peesschedeontsteking*	Atrosan, Symphosan (uitwendig), Arnica D6
Pfeiffer, ziekte van*	Echinaforce
plankenkoorts	Passiflora complex
postnatale depressie*	Hypericum tinctuur
Prader Willy, syndroom van*	Barium carbonicum D6
premenstrueel syndroom	Ovasan
prostaatproblemen*	Prostaforce, Sabal complex
psoriasis	Viola tricolor tinctuur, Crème Bioforce, Molkosan
reisziekte	Cocculus D4, Tabacum D4, Nux vomica D4
rimpels	Crème Symvita
ringworm*	Echinaforce
rode hond	Echinaforce
roodvonk	Echinaforce
schildklier: *te snel werkend*	Kelp D6, Lycopus europaeus D1, Lycopus virginicus D6
te traag werkend	Kelpasan
schimmelinfecties*	Spilanthes ø = D1
schoolmoeheid	Urticalcin
slagadervernauwing, -verdikking*	Geriaforce, Arnica complex
slapeloosheid:	

in- en doorslaapproblemen	Dormeasan
verlengen slaaptijd	Avena sativa complex
spataderen*	Aesculaforce tabletten, Aqua hamamelidis C.M.N., Hyperisan
spierpijn	Crème Arnicaforce, Symphosan (uitwendig)
spijsverteringsstoornissen	Boldocynara, Aciforce, Molkosan, Papayaforce U.A.
spit*	Crème Arnicaforce, Symphosan (uitwendig)
spruw	zie mondslijmvlies ontsteking
steenpuist*	Crème Echinaforce, Echinaforce, Hepar sulfuris D4
stress	Passiflora complex, Avena sativa complex
strontje	Euphrasia complex
strottenhoofdontsteking*	Santasapina, Usnea complex
stuipen*	Urticalcin, Echinaforce
stuit-/staartbeenpijn	Hypericum tinctuur, Symphosan (uitwendig)
suikerziekte,* zie diabetes	
tabaksverslaving, zie ontwennen bij roken	
tandjes krijgen	Urticalcin, Chamomilla D4
tandvleesontsteking	Echinaforce
teennagel, ingegroeide	Molkosan, Mierikswortel tinctuur

tenniselleboog	Atrosan, Symphosan (uitwendig), Arnica D6
tepelkloven	Crème Bioforce
traanzakontsteking	Euphrasia complex
transpiratie, overmatige	Salvia tinctuur, Solidago complex, Famosan
vergeetachtigheid	Geriaforce
verkoudheid: *acuut*	Echinaforce, Po-Ho-Olie, Crème Menthaforce
chronisch	Echinaforce, Urticalcin, Usnea complex, Po-Ho-Olie, Crème Menthaforce
voorkomen van	Echinaforce, Urticalcin
vermoeidheid door overspannenheid	Ginseng complex, Eleuterococcus Ø=D1
verrekking	Crème Arnicaforce, Arnica flores tinctuur, Arnica D6
verstopping, zie obstipatie verstuiking	Crème Arnicaforce, Arnica flores tinctuur, Arnica D6
verzwikking, zie kneuzing	
vetzucht door geringe schildklierwerking	Kelpasan
voetschimmel	Spilanthes Ø = D1
voorhoofdsholteontsteking, zie bijholteontsteking	
wagenziekte	Cocculus D4, Tabacum D4, Nux vomica D4
waterpokken	Echinaforce
waterzucht	Solidago complex

weerstand, verbetering van de	Echinaforce, Urticalcin
winterhanden/-voeten	Johannesolie medicinaal, Geriaforce
witte vloed*	Echinaforce, Urticalcin
wondroos	Echinaforce, Crème Echinaforce
wratten	Thuja tinctuur (uitwendig), Thuja D6
zenuwontsteking*	Arsenicum album D4
zenuwpijn	Aconitum D4, Johannesolie medicinaal
zonnebrand, zie brandwonden door zonnebrand	
zwaarlijvigheid, door trage schildklier	Kelpasan
zwangerschapsbraken	Nux vomica D4, Ipecacuanha D3, Tabacum D4
zweetvoeten	Crème Bioforce
zweten, overmatig	Salvia tinctuur

Aantekeningen: